大夏书系·成尚荣教育文丛

定义语文

Dingyi Yuwen

成尚荣

华东师范大学出版社

ECNUP 上海著名商标

全国百佳图书出版单位

著

图书在版编目（CIP）数据

定义语文/成尚荣著.—上海：华东师范大学出版社，2017
ISBN 978 - 7 - 5675 - 6625 - 5

Ⅰ.①定... Ⅱ.①成... Ⅲ.①语文课—教学研究—中小学

Ⅳ.① G633.302

中国版本图书馆 CIP 数据核字（2017）第 162396 号

大夏书系·成尚荣教育文丛

定义语文

著　者	成尚荣
策划编辑	李永梅　林茶居
特约编辑	周益民
审读编辑	任媛媛
封面设计	奇文云海·设计顾问

出版发行 华东师范大学出版社
社　　址 上海市中山北路 3663 号　邮编　200062
网　　址 www.ecnupress.com.cn
电　　话 021 - 60821666　行政传真　021 - 62572105
客服电话 021 - 62865537
邮购电话 021 - 62869887　地址　上海市中山北路 3663 号华东师范大学校内先锋路口
网　　店 http://hdsdcbs.tmall.com

印　刷　者 北京季蜂印刷有限公司
开　　本 700×1000　16 开
插　　页 1
印　　张 16
字　　数 222 千字
版　　次 2017 年 9 月第一版
印　　次 2018 年 7 月第三次
印　　数 10 101-13 100
书　　号 ISBN 978 - 7 - 5675 - 6625 - 5/G · 10463
定　　价 45.00 元

出版人 王焰

（如发现本版图书有印订质量问题，请寄回本社市场部调换或电话 021-62865537 联系）

目 录

第二辑　语文的世界眼光

第三辑　语文教育家和知识分子

第四辑　种诗的人

附　录

自序　在更大的坐标上讲述自己的故事

　　曾经犹豫很久，不知丛书的自序究竟说些什么，从哪里说起，怎么说。后来，我想到，丛书是对自己人生的第一次小结，而人生好比是个坐标，人生的经历以及小结其实是在坐标上讲述自己的故事。于是自序就定下了这个题目。

　　与此同时，我又想到故事总是一节一节的，一段一段的，可以分开读，也可以整体地去读。因此，用"一、二、三……"的方式来表达，表达人生的感悟。

一、尚可：对自己发展状态的认知

　　我的名字是"尚荣"二字。曾记得，原来写的是"上荣"，不知何人、何时，也不知何因改成"尚荣"了。那时，家里人没什么文化，我们又小，改为"尚荣"绝对没有什么文化的考量，但定有些什么不知所云的考虑。

　　我一直认为"尚荣"这名字很露，不含蓄，也很俗，不喜欢，很不喜欢。不过，现在想想，"尚荣"要比"上荣"好多了，谦逊多了，也好看一点。我对"尚荣"的解读是"尚可"，其含义是，一定要处在"尚可"的认知状态，然后才争取从尚可走向尚荣的理想状态。

　　这当然是一种自我暗示和要求。我认为，人不能喧闹，不能作秀，更不能炫耀（何况还没有任何可以炫耀的资本）。但人不能没有精神，不能没有思想，我一直要求自己做一个有追求的人，做一个精神灿烂的人。正是"尚可""尚荣"架构起我人生的坐标。尚可，永远使我有种觉醒和警惕，无论有什么进步、成绩，只是"尚可"而已；尚荣，永远有一种想象和追求，无论有什么进展、作为，只不过是"尚荣"而已。这一发展坐标，也许是冥冥之中人生与我的约定以及对我的承诺。我相信名字的积极暗示意义。

二、走这么久了，才知道现在才是开始

我是一只起飞很迟的鸟，不敢说"傍晚起飞的猫头鹰"，也不愿说"夕阳无限好，只是近黄昏"。说起飞很迟，是因为 61 岁退休后才安下心来，真正地读一点书，写一点小东西，在读书和写作中，生发出一点想法，然后把这些想法整理出来，出几本书，称作"文丛"。在整理书稿时，突然之间有了一点领悟。

第一点领悟：年龄不是问题，走了那么久，才知道，原来现在才是开始。人生坐标上的那个起点，其实是不确定的，任何一个点都可以成为起点；起点也不是固定的某一个，而是一个个起点串联起发展的一条曲线。花甲之年之后，我才开始明晰，又一个起点开始了，真正的起点开始了。这个点，就是退休时，我在心里默默地说的：我不能太落后。因为退休了，不在岗了，人一般会落后，但不能太落后。不能太落后，就必须把过去的办公桌，换成今天家里的那张书桌，书桌告诉我，走了那么久，坐在书桌前，才正是开始。所以，年龄真的不是问题，起点是自己把握的。

第二点领悟：人生是一首回旋曲，总是要回到童年这一人生根据地去。小时候，我的功课学得不错，作文尤其好。那时，我有一个巴望：巴望老师早点发作文本。因为发作文本之前，总是读一些好作文，我的作文常常被老师当作范文；也常听说，隔壁班的老师也拿我的作文去读。每当那个激动人心的时刻来临，我会想入非非：总有一天要把作文登在报刊上，尤其是一定要在《新华日报》上刊登一篇文章。童年的憧憬和想象是种潜在的力量。一个人童年时代有没有一点想入非非，今后的发展还是不同的。和过去的学生聚会，他们也逐渐退休了，有的也快 70 岁了。每每回忆小学生活，总忆起那时候我读他们的作文。文丛出了，我似乎又回到了自己的童年时代。童

年，那是我人生的根据地；人总是在回旋中建构自己的历史，建构自己的坐标，总得为自己鸣唱一曲。

第三点领悟：人的发展既可以规划又不能规划，最好的发展是让自己"非连续发展"。最近我很关注德国教育人类学家博尔诺夫的"非连续"教育理论。博尔诺夫说，人是可以塑造的，但塑造的观点即连续性教育理论是不完整的，应当作重要调整和修正，而非连续性教育倒是对人的发展具有根本的意义。我以为，非连续性教育可以迁移到人的非连续性发展上。所谓非连续性发展，是要淡化目的、淡化规划，是非功利的、非刻意的。我的人生好像用得上非连续发展理论。如果你功利、浮躁、刻意，会让你产生"目的性颤抖"。人的发展应自然一点，"随意"一点，对学生的教育亦应如此，最好能让他们跳出教育的设计，也让名师的发展跳开一点。只有"尚可"，才会在不满足感中再向前跨一点。

三、坐标上的原点：追寻和追赶

文丛实质上是我的一次回望，回望自己人生发展的大概图景，回望自己的坐标，在坐标上讲述自己的故事。回望不是目的，找到那个点才最为重要。我要寻找的是那个坐标上的原点，它是核心，是源泉，是出发点，也是回归点。找到原点，才能架构人生发展的坐标，才会有真故事可讲。

那个点是什么呢？它在哪里呢？

它在对人生意义的追寻中。我一直坚信这样的哲学判断：人是意义的创造者，但人也可以是意义的破坏者。我当然要做意义的创造者。问题是何为意义。我认定的意义是人生的价值，既是个人存在和发展的价值，也是对他人对教育对社会产生的一点影响。而意义有不同的深度，价值也有不同的高度。值得注意的是，人生没有统一的深度和高度，也没有统一的进度和速度，全在自己努力，不管从什么时候开始，你努力了，达到自己的高度才重要，把握自己的进度才合适。而所谓的努力，对我来说就是两个字：追赶。因为我的起点低，基础薄弱，非"补课"不可，非追赶不可。其实，追赶不仅是态度，它本身就是一种意义。

我追赶青春的步伐。路上行走，我常常不自觉地追赶年轻人的脚步，从步幅到步频。开始几分钟，能和年轻人保持一致，慢慢地赶不上了。过了几分钟，我又找年轻人作对象，去追赶他们的脚步，慢慢地，又落后了。追赶不上，我不遗憾，因为我的价值在于追求。这样做，只是对自己的要求，是想回到青年时代去，想再做一回年轻人，也是向年轻人学习，是向青春致敬的一种方式。有了青春的步伐，青春的心态，才会有青春的书写。

我追赶童心。我曾不止一次地引用作家陈祖芬的话：人总是要长大的，但眼睛不能长大；人总是要变老的，但心不能变老。不长大的眼是童眼，不老的心是童心。童心是可以超越年龄的，只要有童心，就会有童年，就会有创造。我自以为自己有颗不老的童心，喜欢和孩子说话，喜欢和年轻人对话，喜欢看绘本，喜欢想象，喜欢天上云彩的千变万化，看到窗前的树叶飘零了，我会有点伤感。追赶童心，让我有时激动不已。

我追赶时代的潮流。我不追求时尚，但是我不反对时尚，而且关注时尚。同时，我更关注时代的潮流，课程的，教学的，教育的，儿童的，教师的；经济的，科技的，社会的，哲学的，文化的。有人请我推荐一本杂志，我毫不犹豫地推荐《新华文摘》，因为它的综合性，让我捕捉到学术发展的前沿信息。每天我要读好几种报纸，报纸以最快的速度传递时代的信息，我会从中触摸时代的走向和潮流。读报并非消遣，而是让其中一则消息触动我的神经。

所有的追赶，都是在寻觅人生的意义。人生坐标，当是意义坐标。意义坐标，让我不要太落后，让我这只迟飞的鸟在夕阳晚霞中飞翔，至于它落在哪个枝头，都无所谓。迟飞，并不意味着飞不高飞不远，只要是有意义的飞翔，都是自己世界中的高度和速度。

四、大胸怀：发展的坐标要大些

人生的坐标，其实是发展的格局，坐标要大，就是格局要大。我家住傅厚岗。傅厚岗曾住过几位大家——徐悲鸿、傅抱石、林散之，还有李宗仁。

我常在他们的故居前驻足，见故屋，如见故人。徐悲鸿说，一个人不能有傲气，但一定要有傲骨；傅抱石对小女傅益瑶说，不要做文人，做一个有文化的人，重要的是把自己的胸襟培养起来。徐悲鸿、傅抱石的话对我启发特别大。我的理解是：大格局来自大胸怀，胸怀大是真正的大；大格局不外在于他人，而是内在于人的心灵。而胸怀与视野联系在一起。于是，大视野、大胸怀带来大格局，大格局才会带来大一点的智慧，人才能讲一点更有内涵、更有分量的故事。这是我真正的心愿。

大胸怀下的大格局，是由时间与空间架构成的坐标。用博尔诺夫的观点看，空间常常有个方向：垂直方向、水平方向和点。垂直方向引导我们向上，向天空，向光明；水平方向引导我们向前；点则引导我们要有一个立足点。无论是向上，还是向前，还是选择一个立足点，都需要努力，都需要付出。而时间则是人类发展的空间。时间特别引导人应当有明天性。明天性，即未来性，亦即向前性和向上性。所以，实践与空间构筑了人生的坐标，这样的坐标是大坐标。

五、对未来的慷慨：把一切献给现在

在这样的更大坐标中，需要我们处理好现实与未来的关系。我非常欣赏这样的表述：对未来的慷慨，是把所有的一切都献给现在。其意不难理解：不做好现在哪有什么未来？因此想要在更大的坐标上讲述故事，则要从现在开始，只有着力讲好今天的故事，才有明天的故事。有一点，我做得还是比较好的：不虚度每一天，读书、读报、思考、写作成为一天的主要生活内容，也成了我的生活方式。有老朋友对我的评价是：成尚荣不好玩。意思是，我不会打牌，不会钓鱼，不会喝酒，不喜欢游山玩水。我的确不好玩。但我觉得我还是好玩的。我知道，年纪大了，再不抓紧时间读点书写点什么，真对不起自己，恐怕连"尚可"的水平都达不到。这位老朋友已离世了，我常默默地对他说：请九泉之下，仍继续谅解、宽容我的不好玩吧。真的，好不好玩在于自己的价值认知和追求。

六、首先做个好人，一个有道德的人

讲述的故事不管有多大，有一个十分重要的主题，那就是做个好人。做个好人真不容易。我对好人的定义是：心地善良，有社会良知，谦虚，和气，平等对人，与人为善，多站在对方的位置上想想。我的主要表现是：学会"让"。让，不是软弱，而是不必计较，不在小问题上计较，不在个人问题上计较。所谓好人，说到底是做个有道德的人。参与德育课程标准的研讨，参与道德与法治教材的审查，参与学生发展核心素养的论证，我最大的体会是：道德是照亮人生之路的光源，人生发展坐标首先是道德坐标。我信奉林肯的论述："能力将你带上峰顶，德行将让你永驻那儿。"我还没登上峰顶，但是道德将成为一种攀登的力量和永驻的力量。我也信奉，智慧首先是道德，一如亚里士多德所言，智慧就是就那些对人类有益的或有害的事采取行动的伴随着理性的真实的能力状态。我又信奉，所谓的退、让，实质上是进步，一如插秧歌："手把青秧插满田，低头便见水中天，六根清净方为道，退步原来是向前。"我还信奉，有分寸感就不会贪，有意志力就不怕，有责任心就不懒，有自控力就不乱。而分寸感、意志力、责任心、自控力无不与道德有关。

在更大的坐标上讲述故事，是一个反思、梳理、提升的过程，学者称之为"重撰"中的深加工。文丛试图对以往的观点、看法作个梳理，使之条理化、结构化，得以提升与跃迁。如果作一些概括的话，至少有三点体会。其一，心里有个视角，即"心视角"。心视角，用心去观察问题、分析问题。心视角有多大，坐标就可能有多大；心视角有多高，坐标就可能有多高。于是，我对自己的要求是，对任何观点对任何现象的分析、认识看高不看低，往深处本质上去看，往立意和价值上去看。看高就是一种升华。其二，脑子里有个思想的轮子。思想让人站立起来，让人动起来、活起来，人的全部尊严在于思想。思想是从哪里来的？来自哲学，来自文学，来自经典著作。我当然相信实践出真知，但是实践不与理论相结合，是出不了思想的。思想好比轮子，推着行动走。倘若文章里没有思想，写得再华丽都不是好文章。我常常努力地让思想的轮子转动起来。发展坐标是用思想充实起来、支撑起来的。其三，从这扇门到那扇门，打开一个新的天地。读书时，我常有种想象，我把这种阅读称作"猜想性阅读"。这样的阅读会丰富自己原有的认知框架，甚至可以改变自己原有的认知框架。写作则是从这扇门到那扇门，由此及彼，由表及里，由浅及深，是新的门窗的洞开。

七、把坐标打开：把人、文化，把教育的关注点、研究点标在坐标上

更宽广的视野，更丰富的心视角，必然让坐标向教育、向生活、向世界打开。打开的坐标才可能是更大的坐标。我对专业的理解，不囿于学科，也不囿于课程，而要在人的问题上，在文化的问题上，在教育改革、发展的一些大问题上有些深度的阐释和建构，这样的专业是大专业。由此，对教师的专业发展我曾提出"第一专业"的命题。对教师专业发展如此，对教育科研工作者也应有这样的理解与要求。基于这样的认识，文丛从八个方面梳理、表达了我这十多年对有关问题思考、研究的观点：儿童立场、教师发展、道德、课程、教学、语文、教学流派以及核心素养。我心里十分清楚：涉及面多了，研究的专题不聚焦，研究的精力不集中，在深度上、在学术的含量上达不到应有的要求。不过，我又以为，教育科研者视野开阔一点，视点多一点，并不是坏事，倒是让自己在多样性的认知与比较中，对某一个问题发现了不同的侧面，让问题立起来，观察得全面一些，也深入一些。同时，研究风格的多样化，也体现在研究的方向和价值上。

坐标打开，离不开思维方式和打开方式。我很认同"遮诠法"。遮诠法是佛教思维方式。遮，即质疑、否定；诠，即诠释、说明。遮不是目的，诠才是目的；但是没有遮，便没有深度、独特的诠；反过来，诠让遮有了更充足的理由。由遮到诠是思维方式，也是打开、展开的方式。

遮诠法只是我认同并运用的一种方式，我运用得比较多的是"赏诠法"。所谓赏，是肯定、认同、赞赏。我始终认为，质疑、批评、批判，是认识问题的方式，是指导别人的方式，而肯定、认同、赞赏同样是认识问题的方

式，同样是指导别人的方式，因为肯定、认同、赞赏，不仅让别人增强自信，而且知道哪些是认识深刻、把握准确、表达清晰的，需要保持，需要将其放大，争取做得更好。对别人的指导应如此，对自己的学习和研究也应这样。这样的态度是打开的，坐标也是打开的。打开坐标，研究才会有新视野和新格局。

打开，固然可以深入，但真心的深入应是这一句话："根索水而入土，叶追日而上天。"我对自己的要求是：向上飞扬，向下沉潜。要向上，还要向下，首先是"立起身来"。原来，所有的坐标里，都应有个人，这个人是站立起来的。这样的坐标才是更大的坐标。

八、打开感性之眼，开启写作之窗

不少人，包括老师，包括杂志编辑，也包括一些专家学者，认为我的写作是有风格的，有人曾开玩笑地说：这是成氏风格。

风格是人的影子，其意是人的个性使然，其意还在风格任人去评说。我也不知道自己的写作风格究竟是什么，只知道，那些文字是从我的心里流淌出来的，大概真实、自然与诗意，是我的风格。

不管风格不风格，有一点我是认同的，而且也是在努力践行的，那就是相信黑格尔对美的定义：美是用感性表达理念和理性。黑格尔的话与中国文化传统中的"感悟"，以及宗白华《美学散步》中的"直觉把握"是相同的，相通的。所以，我认为，写作首先是打开感性之眼，运用自己的直觉把握。我自觉而又不自觉地坚持了这一点。每次写作，总觉得自己的心灵又敞开了一次，又自由呼吸了一次，似乎是沿着一斜坡向上起飞、飞翔。心灵的自由才是最佳的写作状态，最适宜的写作风格。

当然也有人曾批评我的这一写作风格，认为过于诗意，也"带坏"了一些教师。我没有过多地去想，也没有和别人去辩论。问题出在对"诗意"的理解存在偏差。写作是个性化的创造，不必去过虑别人的议论。我坚持下来了，而且心里很踏实。

九、讲述故事应当有一个丰富的工具箱

工具的使用与创造，让人获得了解放，对工具的使用与创造已成为现代人的核心素养。

讲述故事也需要工具，不只是一种工具，而且要有一个工具箱。我的工具箱里有不少的工具。一是书籍。正如博尔赫斯所说的，书籍是人类创造的伟大工具。书籍这一工具，让我的心灵有了一次又一次腾飞的机会。二是艺术。艺术是哲学的工具。凭借艺术这一工具我走向哲学的阅读和思考。长期以来，我对艺术作品及其表演非常关注。曾记得，读师范时，我有过编写电影作品的欲望，并很冲动。现在回想起来，有点好笑，又非常欣慰。因为我那电影梦，已转向对哲学、伦理学的关注了。三是课程。从目的与手段的关系看，课程是手段、是工具。课程这一透镜，透析、透射出许多深刻的意蕴。四是教科书。我作为审查委员，对教材进行审查时，不是审查教材本身，而是去发现教材深处的人——教材是不是为人服务的。工具箱，提供了操作的工具，而工具的使用，以及使用中生成的想象，常常帮助我去编织和讲述故事。

十、故事让时间人格化，我要继续讲下去

故事可以提供一个可供分享的世界。不过，我的目的，不只在与世界分享，更为重要的是，通过故事让时间人格化，让自己的时间人格化。讲述故事，是对过去的回忆，而回忆时，是在梳理自己的感受，梳理自己人格完善的境脉。相信故事，相信时间，相信自己的人生坐标。

我会去丰富自己的人生坐标，在更大的坐标上，继续讲述自己的故事。

2017 年 1 月 15 日

写在前面 语文的定义与意蕴：语文的断想

这本书叫《定义语文》。

定义语文不仅是界定语文，更重要的是阐释语文、诠释语文，这是一个文化理解过程。理解语文的课程性质，阐发语文的文化意蕴，明晰语文的文化使命。这样的理解不妨叫作断想。

断想绝不是碎片化，虽有点随性，但不失对深度的追求。这是我的表达方式，希图引发阅读的期待。

一、定义语文：赠给孩子们幸福的礼物

清楚记得，上小学时，每次新学期开始，第一天，坐在教室里，等老师来发新书，那是我最期盼、最激动、最幸福的时刻。我的目光，一定追随着老师捧着一叠新书从走廊走来的身影。有时候，我也承担发新语文书的任务，有说不出的自豪和光荣。书发到手上，迫不及待地从封面，一页一页往下翻看，直看到封底。有时会在某一页、某一课，或某一幅图，目光停留的时间特别长，因为那些文字，那些图片，那些故事深深吸引了我。此时，我没有把新语文书当作课本，而是当作新学期老师赠送给我的礼物，是宝贵的礼物、幸福的礼物。

这是当年我、一个懵懵懂懂的小孩心中真实的感受。后来，当了老师，又后来，进了教科研部门，尤其是参与了课程改革，回想儿时的情景，还真有个想法：我们应当把语文课程，把所有课程当作礼物送给学生。有了幸福

的礼物，儿童才会有快乐的心情，满怀期待去学习，学习中才会收获幸福的礼物。我想，这应当作为课程理念，作为课程观。这样的课程观是真正来自儿童的。

幸福的礼物，快乐的学习，绝不是对勤奋、刻苦学习态度、精神的否定，也绝不是对课程任务和难度挑战的否定，而是首先激发情感，激发学习欲望，把认知过程优化为温暖的过程。这对儿童学习语文，学习所有课程，效果肯定是不同的。

与其说是馈赠，不如说，这是老师和儿童共同创造的。当语文课程、语文学习成为儿童自己参与、研究的过程的时候，幸福的礼物就创造出来了。

二、语文的本质属性：文化

从目的与手段的关系看，语文课程其实是手段，是工具。但语文不是一般的工具，它是特殊的工具，因为语文有其本质属性——文化。语文教学的任务，就是凭借工具，在使用过程中，开发文化的内涵和意义，彰显文化特质，用文化来启迪学生的心智，培养学生语文的灵性。

语文是文化的载体。语文承担着传承文化、发展文化、创新文化的重任。语文本身就是文化，它是文化的一种形态，而这一形态，荟萃着人类文化的精华，闪烁着人类文化的光彩。语文课程的使命，就是让学生浸润在文化中，感悟、体验，受到熏陶，得到滋养。不言而喻，文化是语文的本质属性。

所谓语文的回归，实质是文化的回归。当我们在争论语文的工具性与人文性的时候，只要用文化来观照，就会用文化来平衡工具性与人文性，就会用文化来引领语文课程，自觉地把人文性寓于工具性中，让工具性包孕并彰显人文性。回到文化上去，就是回到语文的本质属性上去。于是，关于语文教学的各种不同的主张，说到底就是文化的主张；关于语文的一些隐喻，说到底就是文化的阐释与想象。

三、语文的意蕴：一个偌大的美好世界

语文的内涵与外延几乎与生活相等，这一熟知的判断，已形成了共识。

熟知并非真知。从熟知走向真知，得在过程中去领悟，内化为自己的观念。

依我看，与生活相等，就是与整个世界相等并相融，语文就是一个偌大的世界。我们常说，把语文当作一个世界；现在应该说，要把世界当作语文。这样的比喻一点都不过分，既是因为世界方方面面的知识、故事，前世今生，古今中外，都在语文里，更为重要的是让学生运用语文这一工具，怀揣着语文素养，走向世界，成为地球村的一员，认识世界，热爱生活，创造更美好的世界。而这一切，又都是从在语文课堂里为学生打开一扇窗户，看到世界开始的。

这就是语文的意蕴：博大，万千，神秘，美好。没有这种气象，语文就没有视野和胸襟，学生的大视野、大胸怀也就培养不起来。

四、语文的使命：用汉字，用母语，向世界讲述中国的故事

每个汉字都是中华文化的基因，每个汉字都有一个中国的故事。如梁衡先生所言：汉字是母亲微笑的脸庞，是母亲温暖的胸怀，是母亲甜美的乳汁。汉字，是中华优秀传统文化的一部分，也是语文教学之魂、之根、之血脉。语文教学的脉管里要流淌中华民族文化的血液，在语文课堂里应当树起中华民族文化的雕塑。

中国要走向世界，要融入世界，构筑人类命运共同体。语文也要走向世界，为人类命运共同体的建构，为人类文化的进步作出应有的贡献。这是中国走向世界的故事。语文教学，引领学生用汉字、用母语、用中华文化，向世界讲述中国的故事，让世界在"杏花、春雨、江南"六个字中感受中国的美丽，在"万里长城永不倒""长江之歌"中感受中华民族的精神力量，在"一带一路"建设中感受中国的责任和抱负。

用语文讲述中国的故事，语文才能真正走向世界。于是一个命题自然摆在我们面前：建设中国品格和风格的语文课程体系。中国品格、中国风格，是中华民族优秀传统文化所塑造的，也是东方智慧所凝练而成的。而中国品格、风格，东方智慧，回应着世界文化的潮流，顺应着世界教育改革的走向。

倘若，每一个语文教师都有这样的使命感，语文课程改革的文化自觉定然会形成并得到提升，语文课程的万千气象里一定有中华民族文化之光的闪耀。

五、教育首先是道德事业，语文课堂首先是道德课堂，语文教师首先是道德教师

从普遍上说，道德，是人类的最高目的，当然也是教育的最高目的（赫尔巴特语）。但丁说过，一个人知识不行，可以用道德来弥补；但一个人道德不行，是无法用知识来弥补的。苏霍姆林斯基认为，道德是一个人全面发展旅途中的光源。国无德不兴，人无德不立。因此，说教育首先是道德事业，这是逻辑的必然。

这样，也就不难理解，语文课堂首先是道德课堂。道德课堂，不是只讲道德，而是要在课堂里升腾起道德的太阳，语文教学要有道德意义和生命的成长。同样的，语文教师首先是道德教师，担负着道德教育，培养学生道德素养的任务。而这一目的，是通过语文来实现的，这一过程是语言文字理解和运用的过程，是自然的、生长的。

我始终认为，语文教师是知识分子，有知识分子的尊严，有知识分子的社会良心，有知识分子批判的勇气和能力，有知识分子永远追求真理的执着精神。当下，大家都在急切地呼唤：知识分子，你在哪里？教师该怎么应答呢？我想语文教师一定会应答得最为鲜明最为坚定。

六、专业的眼光与语文的世界眼光

语文教育是新母语的教育，是文化认同、民族认同的教育，从语文的田野里生长起来的家国情怀、天下情怀。在这一核心理念引领下，这本书四辑的题目连缀起来，就是一个定义语文的逻辑过程：语文、语文教育是专业，应当用专业的眼光看语文，语文、语文教育就获得了建立在专业价值上的专业尊严；语文、语文教育本身有自己的眼睛，它可以开启语文的世界眼光，发现整个生活与世界，专业的眼光与语文的世界眼光相遇，世界就明亮起来；

语文之所以是世界，是因为它是由语文人，尤其是教语文的人和学语文的人缔造的，教语文的人可以成为名师，是真正的知识分子，是种诗的人，而学语文的人——儿童，就是种出来的诗，是一朵朵小花，永远站在春天里。

七、斯霞老师、李吉林老师建构，洪宗礼老师定义了语文

像斯霞老师那样教语文。斯霞，儿童教育家，她的语文教学的大旗上写着：童心母爱。她用童心母爱诠释了语文，优化了语文，建构了儿童语文。做一个优秀的语文教师和名家，首先做个儿童研究者，像斯霞老师那样教语文，首先像斯霞老师有童心母爱。

像李吉林老师那样研究。情境教育的创立，破解了儿童学习和发展是在哪里发生的这一难题，具有国际前瞻性和世界普遍意义。李老师又建构了中国儿童情境学习的范式，把语文教学、整个教育教学聚焦到儿童学习上。这一范式具有中国的品格和风格，已走向世界，与世界展开了深度对话。研究，才会让语文教学改革站到更高的平台上。

像洪宗礼老师那样在语文高地上有建树。洪老师的中外母语教材比较研究、语文教材编写、中学语文教学改革三个方面是他的伟大建树。他的语文被称为洪氏语文。一个有作为的语文老师和名家，应当向洪老师致敬，在语文教学的高地上有自己的一席之地。

像斯霞老师、李吉林老师、洪宗礼老师那样定义语文吧。

八、语文教师和儿童是语文的定义者

概念是人定义的。专家可以定义，教师也可以定义，其实儿童也在定义。定义的过程是参与的过程，是研究的过程，是创造的过程。

因此，定义语文，让教师和儿童在语文世界里站立起来，闪耀起来。

核心观点　母语教育与民族文化认同

一、全球化进程中的重要命题

前些日子，报载两则消息，一则说 2005 年高考，广东考生在古文翻译中竟有一万多人得零分，一些学生的作文或照抄流行歌曲的歌词，或抄录作文要求说明中的文字，评卷老师唏嘘不已。另一则消息是，复旦大学举行汉语言文字大赛，夺得第一名的不是中国学生，竟是一支外国留学生队。记者说，国人大跌眼镜。确实，这是国人的一种尴尬，当然也是一种信号。

其实，事情绝非偶然，也绝非个别，汉语教育的被轻慢、汉语水平的下滑已几近趋势，其严重性已不是大跌眼镜的问题，也不是几声唏嘘叹息的问题。问题的表象可以用"外热内冷"来概括。一是外语热，尤其是英语热，而汉语冷。社会上的就业招聘、大学和职称的考级都有英语的要求，中小学还有双语教学的要求，而且要求越来越高，高过了对汉语的要求。现在，世界上的各种声音，尤其是英语的声音在华夏大地都有回响，但是，对汉语呼唤的声音却如此单薄和微弱。二是外国人学汉语热，国人学自己母语的热情却日趋冷淡。据说，全球有 3000 多万学生在中国以外的地方学习汉语，世界上 100 个国家的 2500 余所大学和越来越多的中小学开设了汉语课程。很有意思的是，我在写拙文的时候，中央电视台《实话实说》正在播出"超级汉语"节目，几位嘉宾正是在汉语大赛中夺魁的选手。他们用汉语侃侃而谈，并且说，学汉语不是"难"，而是"难免"——学汉语是中国的强盛所引发的必然趋势。外国人学汉语"难免"，国人学汉语却为什么难呢？什么时候，在我们自己的国度里汉语也成为"超级"的呢？新加坡《联合早报》将两条消息合在一起报道，不仅是内容的近似，而是用"冷"与"热"的反差与对比引发我们的思考：我们的母语教育究竟怎么了？我们该怎么办？这是一种警示！

英语的强势、汉语的落伍不是一个孤立的现象，其"外热内冷"的背后实际上是一个深刻的时代背景问题，那就是全球化。自从全球化的命题提出以来，全球化和反全球化的声音都有，但不管你的态度如何，全球化已来到我们中间，全球化已经实际展开。所以，母语教育实质上是全球化进程中一个十分重要的命题。

全球化应该是有预设的，全球化的展开引发了人们对一些问题的深入讨论。其一，全球化是一个与多样性、多元化同时进行的过程。在全球化过程中有各种力量的参与，包括处于不同文明中的群体和个体，但是参与的各种力量并不是均衡的。因此，"全球化既可以成为一个宰制性的霸权，也可以创造一个人类生命共同体"[1]。值得注意的是，英语正在成为"宰制性的霸权"，如克鲁克罗所言：英语成了全球经济的语言和国际普通话。这种外来语的强势企图颠覆母语的地位。但是，"全球化不是同质化"，"全球化和地方化是同步的，有全球化就一定有地方化"。[2]美国波士顿大学的社会学家彼得·伯格有一本书，书名就叫《多种多样的全球化》。事实证明，人类社会的发展从来都不是毫无个性的普遍主义，而多样性则是人类繁荣的必要条件，文化也正是这样，文化的生存需要语言的多样性。一种语言的出现，代表着人类某一方面智慧的生长，语言消失了，文化的多样性也就消失了，人类社会就不可能丰富多彩。正是在全球化与本土化的矛盾与冲突中，我们发现了语言多样化发展的张力。威廉·詹姆斯曾说道，没有个人的激情，共同体将是一潭死水；没有共同体的共鸣，个人的激情终将消退寂灭。尽管他说

---

① 杜维明：《对话与创新》，广西师范大学出版社 2005 年版。
② 同上。

的是个人与共同体的关系，但完全可以引喻为全球化与本土化的关系：没有本土化的激情，全球化将是一潭死水；没有全球化的共鸣，本土化的激情终将消退寂灭。显而易见，加强母语教育正是为了推动民族文化的本土化，而加强民族文化的本土化，又将推动完整的全球化。当前，那种消退母语、削弱母语教育的认识与做法，完全是对全球化的片面误读，也完全可能使民族文化在全球化浪潮中寂灭为一潭死水。

其二，全球化引发文化认同。文化认同是全球化的又一重要预设。毋庸讳言，现代是一个普遍化和趋同化的时代，全球化只不过是这种趋势的一个必然结果。"然而，只要还不存在一个统一的全球民族，这个过程必然会在全世界引起认同危机和认同追求。这就是为什么'民族主义和民族认同话语在这个愈益全球化的世界上看来仍然会保持其重要性（的原因）'。"①（括号内容为笔者所加）全球化的进程不是无需认同，而是恰恰需要认同，认同危机和认同追求的存在才可能保持民族的独立性和独特的价值。认同就是不断地认识自己、发现自己，进而坚守自己；同时，认同也是不断地认识别人、发现别人，进而吸纳别人。因此，在融入多元文化潮流的过程中，如果没有认同追求，就有可能消退自己，甚至丧失自己，同时不能学习别人，也就不能丰富自己、发展自己。母语是民族的元素，是文化的符号，是一个国家的标志。显然，认同母语就是认同民族、认同民族文化，加强母语教育就是增强民族文化的认同感，增强民族的自豪感。就中华民族来说，加强母语教育，为的是让我们，尤其是让青少年不断地反问自己：在全球化时代，是什么使中国人成为中国人？成为中国人意味着什么？中国文化在世界多极文化的谱系里有什么价值？中国人在人类发展的坐标里处于何种位置？当然，在提问的时候，必然会涉及母语和母语教育。提问是认同的过程，也是成熟的标志。认同正是增强民族自信心和民族使命感的过程。

如此看来，在全球化的背景下，母语教育联结着文化认同，联结着文化

---

① 张汝伦：《经济全球化和文化认同》，选自《中国大学学术讲演录》，广西师范大学出版社 2001 年版。

的本土化。警惕母语的下滑绝不是危言耸听，增强对母语的教育意识，就是对母语的一种支援，甚至是一种捍卫，这也绝不是言过其实。

二、母语的根源性及母语教育的使命

本不想涉及母语的界定，因为，我想什么是母语，是不言而喻的。但是，当下对母语的定义还有不少的争论，看来，在母语的界定上有一个初步的认同，还是相当重要的。我基本的想法是，首先要搞清楚母语的基本属性，同时要把母语的基本属性与母语的价值区分开来。

1. 根源性：母语的基本属性。《辞海》里注明："母语，指儿童习得的第一语言，多为本民族或本国语言。"洪宗礼先生主持的中外母语教材比较研究组认为："母语，一个人最初学会的一种语言，在一般情况下是本民族的语言或某一方言。如果某一民族的标准语是所在国人民共同使用的语言，那它就是国语了。"[①] 毋庸置疑，汉语是中华民族的标准语言、共同使用的语言；而汉语又是在与各少数民族母语的互动中发展、繁荣起来的。强调对汉语这一母语的教育，并不排斥对少数民族母语的教育，更不否定中华民族文化是汉文化与各少数民族文化的结合，决非仅指汉文化。

以上表述中，有两个关键词：第一语言、最初学会。《辞海》里注明："母，根源，……泛指能有所滋生的事物"，所以，我以为母语的基本属性应是根源性。有人把母语比作酵母、种子，是不无道理的。母语这一根源性的属性，实际上是在向我们宣告如下内容：第一，她向我们宣告，母语是民族文化之源。正是母语在被使用的过程中滋生了文化，创造了文化。若要发展民族文化，必要发展母语，加强母语教育。可以这么认为，放弃母语就是消逝和丧失本民族的文化。第二，她向我们宣告，母语是民族形成的基本要素。一个民族是依靠她的文化站立起来的，而文化又是在母语中创生的。母语代表着一个民族，象征着一个国家。正因如此，日本著名文化学家岸根卓

---

① 中外母语教材比较研究课题组：《中外母语教材比较研究论集》，江苏教育出版社 2001 年版。

郎在《文明论——文明兴衰的法则》一书中如是说："放弃母语，就是通向亡国（毁灭文明）的捷径。"第三，她向我们宣告，一个民族有应该有根的意识。母语是我们共同的源头，是我们民族的根。记住母语，我们才会有民族记忆、历史记忆，我们才知道，自己是谁，从哪里来，又到哪里去。习得母语，就是获得了民族的文化基因和文化胚胎。第四，她向我们宣告，母语是我们的精神家园。海德格尔说，"语言是存在的家"①。母语是我们存在的精神家园，在"家"里我们才会获得人生关怀，才不会似浮萍四处飘零，才会找到自己和我们这个民族的内在根基。母语的根源性向我们宣告了很多，我们倾听她的宣告，才会真正懂得什么是母语。

2. 言说、表达的方式：母语的深层定义。海德格尔对语言有很深刻的见解，他多次说："语言在生存论及存在论上的根基是言说……"，"言说表出的方式就是语言……言说是生存论上讲的语言"。②海德格尔其实是在谈论母语，即母语是一个民族言说表出的方式。事实证明，不同的民族有不同的言说表出方式，不同的言说表出方式往往代表着不同的母语。这是事实，但这一简单的事实几乎不曾被认真思考过。明确了这一点，我们可以搞清楚不少问题。一是加强母语教育，是不是只编只教只读我们民族自己的文学作品？国外的文学作品能不能进入我们的教材？这样的教材算不算母语教材？这样的教育算不算母语教育？国外的作品通过我们母语的翻译，在保留其本义和风格的同时，已经在用我们的言说方式在表出和传达，显然，已经进入了我们的母语教育的畴域。二是加强母语教育，不只是会识字、会写字、会读书、会作文，更为重要的是要学会言说表出的方式。"在全世界几千种语言当中，汉语是很特殊的一种语言。"③中国文化的特点之一，是语言系统在概念与形式上的独一无二。这势必要求我们潜心研究和体验表达的独特性，通过表达方式的体验、把握和运用，真正学会用汉语表达我们的思想。如此看来，在母语教育中要把表达方式的学习和训练提到更高的地位上来。三是要伤害母

---

① [德] 海德格尔著，郜元宝译：《人，诗意地安居》，广西师范大学出版社 2000 年版。
② 同上。
③ 王先霈：《国学举要·文卷》，湖北教育出版社 2002 年版。

语，必定伤害母语的表达方式，要颠覆母语的地位必先颠覆它的表达方式。值得注意的是，当下的一些网络语言、聊天语言、动漫语言等正在随意地改变着我们母语的表达方式，这些语言追求时尚、新奇、刺激，其间杂糅着奇怪的表述。因此我们必须提高警惕，加强母语的规范性，纯洁祖国的语言文字，别让强势外语从改变母语的言说方式上打开颠覆的缺口。

3. 发展自己，丰富人类文化：母语教育的使命。一个民族往往把自己全部的精神生活痕迹都珍藏在语言里，一个民族的语言总是体现着这个民族的精神。母语是一个民族的精髓，可以说就是民族本身，是民族生命的一部分。于漪说，母语对外是一道屏障，而对内却是粘合剂。海德格尔说，语词乃供出者，它给我们什么呢？是啊，母语给我们什么呢？母语里充满着人文价值，她给了我们人文教养的尺度，给了我们终极关怀；母语里凝练着传统和历史的精粹，而传统往往是一种力量，她给了我们民族赓续的血脉，给了我们民族的魂魄；母语里蕴藏着智慧，她给了我们流淌着的思想、灵动着的智慧以及快乐、娱悦、幸福的智慧表情。……世界正在关注着中国的崛起，可以说，母语是我们这个民族自立于世界先进民族之林的文化源头和动力。

然而，母语不仅仅是属于这个民族和国家的，也是属于人类的，她不仅是民族生命的一部分，也是人类文明的组成部分；母语对外是一道屏障，但也应是与人类沟通对话的平台。捍卫母语，就是在捍卫人类文化与文明；加强母语教育，就是在促进人类的进步。这些就是母语教育的崇高使命。

三、关于"认同"的认同及对母语教育的建议

全球化强化着认同的意识。什么是认同？对"认同"首先有一个认同的问题。认同是一个抽象的概念，但包含了丰富的内容。"根据西方学者的研究，认同有微观和宏观两个层面。在微观层面上，认同是人类行为与动力的持久源泉，它坚定了人们对自己的看法，又从人们与他人的关系中，派生出生命的意义。在宏观层面，认同是一个更深的个人意义的代码，它将个人与

最一般层面的社会意义相联系。"①从这一解读中，我以为可以认同以下一些观点，并由此派生出对母语教育的基本建议。

1. 认同首先是一种定位，为的是获得归属感。这种归属感，在政治学上是国家认同和民族认同，是国家和民族的定位。而这种定位首先体现在文化认同上，而文化认同又体现在母语的认同上。因此，民族语言一旦消失，这个民族也就不复存在了。反之，"亡了国当了奴隶的人民，只要牢牢记住他们的语言，就好像拿着一把打开监狱大门的钥匙"。都德在《最后一课》中借语言教师韩麦尔说的这句话，道出了母语在民族和国家定位中的重要作用。由此，我们自然想到，母语教育就是让学生在母语中认识自己的民族和祖国，确认自己的民族身份和国家身份，培育民族性格和民族精神，确立为中华民族复兴而奋斗的志向。母语教育让学生手握的那把"钥匙"，不断去打开民族文化宝库和人类文明之窗。在任何时候，母语教材建设的这一使命都不能有任何松懈，否则，母语的这种失责其实是民族责任感和使命感的丢失。

这种归属感，在社会学上就是让每个人在社会的共同体和群体中认识自己，找到自己的社会角色和身份，培育起涂尔干称之为的"集体良知"，进而把各个个体凝聚在一起。关照当下的母语教材和母语教育，在面向每一个学生的同时，开始关注"这一个"，关注"这一个"，为的是让学生的主体性和个性得到充分发挥。但与此同时，也让对学生的集体责任感的教育显得苍白无力。所以要让学生认同家庭责任感、集体责任感、社会责任感，甚至人类责任感，让责任感伴随着学生的成长，唯此，学生才会真正学会感动和感谢。

2. 认同是一个开放的系统，要让学生认识世界和人类。认同始终存在于关系之中，失掉关系就会失掉认同。民族认同不是狭隘的民族主义情怀，不是以排斥外来文化的方式来界定。民族文化应该向所有人类文化开放。用这

---

① 张汝伦：《经济全球化和文化认同》，选自《中国大学学术讲演录》，广西师范大学出版社 2001 年版。

一观点来审视母语教材和母语教育，就会发现我们的视野还比较狭窄。母语文化是民族的、国家的，也是人类的，民族文化是在与人类文化的互动中发展起来的。对母语的崇拜，理应包含对人类文化的崇拜，包含对多元文化的尊重与接纳。所以要赋予母语整个人类文化的色彩，赋予母语教育世界眼光和全球胸怀。我们不仅要研究本国母语教育的经验，还要研究和借鉴其他民族和国家加强其母语教育的经验，从中获得启发。其实，各国的母语教育都得到加强了，才有可能在均势条件下的真正对话。有人说，这种本土与世界的关系，行动上是本土的，而思考是全球的。我们的母语教育不仅要学会母语的思维方式，而且要逐步适应和学会其他语言的思维方式。思维的开放是最广阔的开放，思考着去认同才会有深度。

3.认同不是目的，认同是为了参与。通过认同，获得归属感，找到自我位置，认清了自己，也发现了别人；认同为的是参与，这种参与是积极的创造过程。用这种认同理念和认同追求去反思母语教材建设和母语教育，其中有两个聚焦点。一是对传统母语教育经验的汲取与创造。我国的母语教育有着非常优秀的传统，累积了许多宝贵的经验，至今都有强大的生命力，因此我们不能背对历史，必须继承和弘扬。多读多写，体会汉语的声文之美、形文之美和意义之美。意义之美是一切语种的文学所共同的，形文之美和声文之美则各与其文字的特性紧密相依。汉字比之拼音文字更易于造成多样的形文之美和声文之美。在审美追求上，我们"主张和而不同，差异、对立造成的和谐，是最佳的和谐"①。因此汉语的特性决定着母语教育需要引导学生在吟诵与写作中体验、感悟和生成。二是在汲取优秀文化传统中需要进行新的解释。认同不是文化乡愁，也不是怀古复旧，当然更不是倒退，而是在新的起点上迈步。母语教材和母语教育要引导学生在理解原义和本义的基础上，赋予传统新的解释，使传统价值成为现代价值。这种积极的参与是一个创造的过程。放眼全球，不少国家也正用自己的母语和价值来诠释儒家的经典，

---

① 王先霈：《国学举要·文卷》，湖北教育出版社 2002 年版。

于是有了所谓"波士顿儒家"等。① 时代的脚步永远是向前的，认同总要伴随着时代的脉搏，唯此，母语教育才会在深厚的底蕴中透发新的价值气息。

4. 文化认同的关键是文化自觉。文化自觉表现在对民族文化的热爱、对外来文化的尊重；表现在对民族文化价值的理解，对文化资源的保护、开发和使用；表现在文化能力的提升，用自己的眼睛去做文化观察，用自己的嘴和笔去表达和传播。文化能力的核心是思维能力和创造能力，这始终是我国母语教育的软肋。如果缺乏对文化现象的思考、分辨，缺乏对新文化的接纳与创造，那么，文化能力只能是纸上谈兵，中华民族优秀文化也将会停止发展的脚步。

全球化背景下文化认同对母语教育发出了多少信息啊，我们的任务不该是叹息，而应是去建设——面对多元文化，我们不是无能为力的。

---

① 张汝伦:《经济全球化和文化认同》，选自《中国大学学术讲演录》，广西师范大学出版社 2001 年版。

第一辑

用专业的眼光看语文

语文既要守卫自己的边界，

完成独当之任，

又要善于打开边界，

向其他课程学习，

构造课程共同体，

为学生搭建更宽更高的平台。

用专业的眼光看语文

用专业的眼光看语文，这本是很专业、十分有意思的命题。

如果让非语文学科的教师用专业的眼光看语文，这种要求显然是不合适的；倘若对语文教师提出这样的要求，合适吗？可能有人会说，这是一个伪命题——因为，语文教师就应该以专业的眼光看语文。其实不然，有的语文教师并没有用专业的眼光来观察、思考和评判，其原因是他们还不具备专业的眼光。看来，语文教师承担着不断锤炼自己专业敏锐性的任务，提升专业水平永远是个过程。

用专业的眼光看语文，首先要把语文看作语文，而不是其他什么学科。叶圣陶早就指出：国文教学自有它独当其任的任，那就是阅读和写作的训练。……这种技术的训练，他学科是不负责任的，全在国文教育的肩膀上。叶圣陶为语文教师确立了评判语文的专业标准。遗憾的是，当下的语文课堂仍是在内容上兜圈子，在"写什么"上下足功夫，而"怎么写"却常常是缺席的。歌德也说：内容人人看得见，意义只给少数有心人得知，而形式永远是个谜。如不在"解谜"上着力，语文还是语文吗？看来所谓的"专业的眼光"，源自对语文实质及其独当之任的认识与把握。

不过，"专业的眼光"止于此又是不够的。语文是门学科，从专业领域讲，语文是课程的一种形态，应唤作语文课程。在课程世界里，语文只是一个"原子"，这个"原子"与那个"原子"是平等的，是互相联系、互相渗透、互相支撑的，语文也必须从其他"原子"中汲取营养，丰富自己。在如今的课程世界里，任何学科都不能"独善其身"，也不能单打独斗。因此，语文不能把自己当作"主科"。语文课程的开放性、联系性、渗透性，是我们用"专业的眼光"发现的。这一发现告诫我们，语文既要守卫自己的边界，完成独当之任，又要善于打开边界，向其他课程学习，构造课程共同体，为学生搭建更宽更高的发展平台。

从学科走向课程，从教学目标走向课程标准，从教学走向教育，从课堂走向生活，这对语文教师的专业发展提出了新的要求。语文教师的专业不应该只是语文专业，还应该有更大的专业；语文教师不应只知道语文世界，还应知道语文世界外面的更大的世界。这更大的世界就是生活，更大的专业就是研究儿童的语文学习和语文生活，研究儿童整个的生活。没有超越"专业"的眼光，语文世界定会显得逼仄、狭窄。

此外，用专业的眼光看语文，固然是对的，很重要。但是，有时候让语文教师用"非专业的眼光"来看语文可能会有"熟悉的陌生感"和"陌生的熟悉感"的产生，恰恰可能会有新的发现，这也很重要。所以，语文教师有时不妨换一换"专业的跟光"，做一会儿"非专业"的语文教师。如此，"专业"与"非专业"之间的张力，定会让语文更具魅力。

文化隐喻：语文教育的重构

一、语文与文化：血缘性的亲和呼应

每每谈起语文，第一个冒出来的词就是文化。语文与文化，文化与语文，永远自然地、亲密地联系在一起。用文化来观照语文，让语文在文化中站立起来，是语文教育永恒的主题，又是一个永远有解、永远难解、永远要解的重大课题。这三个"永远"的基本意思是：语文应该坚定地走在文化之路上，不知道它准确的起点在哪里，更不知道终点在哪里，抑或说不知道它有没有终点。正是这"永远"的状态让语文洋溢着无限的魅力，彰显着神秘而又美好的张力。也正因为此，语文教育要让教师和学生处在"永远"的状态中，在文化中站立起来，在文化中发展起来，长成好大一棵树，庇荫和滋长心智，安顿好心灵。

文化与语文的关系，可以作以下一些概括。

1. 语文是一种文化的存在，其本质属性是文化。语文以自己的语言文字映射着文化的特性，其本身就是一种文化形态，具有凝练性、教育性；语文是文化的一种载体，它里里外外承载着文化，充溢着文化的味道；语文承担着传承、发展文化的重任，语文教育的过程就是传承、发展文化的过程。海德格尔说，"语言是存在的家"。语文是文化存在的家，文化是这一"家"的灵魂。文化与语文这种血缘性的关系，决定着它要与语文产生天然的、亲和的呼应，缺失这种呼应，甚或呼应很弱，都是语文教育的失职失责，语文、语文教育的生命必然枯萎。语文、语文教育正是在积极、多元的呼应中，生命旺盛起来、多彩起来。

2. 语文、语文教育传承、发展文化，从根本上讲是一种意义建构。文化的本质就是意义建构，意义建构意味着文化在不断发展和进步。毋庸置疑，语文、语文教育传承、发展文化的本质也当是一种意义的建构。但，何为意义，如何发现意义，却是一个极具挑战性的难题。法国符号学家Ａ·Ｊ·格雷马斯说："谈论意义唯一合适的方式就是建构一种不表达任何意义的语言；只有这样我们才能拥有一段客观化距离，可以用不带意义的话语来谈论有意义的话语。"[1] 我认为他的"意义"在于，一是要保持客观化的距离，进行客观的观察、审视与评价，不必带着意义去谈论意义；二是意义不应是赋予的，而应是自己创造出来的。开发便是一种创造、一种发现，这应当是一种文化过程。因此，语文、语文教育应当着力于语言文字及内容的开发，让学生从中发现意义，创造自己的精彩观念。在这样的过程中，文化得以传承和发展。

3. 意义的建构中，语文、语文教育必须进行反思。这是一个文化不断进步、不断发展的时代，又是一个文化面临新的挑战的时代。法国学者阿尔贝特·施韦泽在《文化哲学》中说，"文化正处于文化衰落的征兆之中"[2]。对这一判断我并不完全赞同，但是它的真正意思正如施韦泽所说，"世纪之交，有许多关于文化的论著问世，但它……不去对我们的精神生活状况作出诊断……没有人为我们的精神生活开出清单，也没有人以高贵的信念和真正进步的动能为基础去检验我们的精神生活"[3]。显然，文化的衰落主要指没有对精神生活作出诊断和检验，是高贵的信念、真正进步的动能的衰落，是文化的衰落。由此我们自然想到，语文、语文教育应当反思的是，我们对师生的

---

[1]［法］Ａ·Ｊ·格雷马斯著，吴泓缈、冯学俊译：《论意义——符号学论文集》（上），百花文艺出版社 2005 年版。
[2]［法］阿尔贝特·施韦泽著，陈泽环译：《文化哲学》，上海人民出版社 2008 年版。
[3] 同上。

精神生活作出诊断了吗？高贵的信念、真正进步的动能在哪里？我们为师生的精神生活开出清单了吗？总之，反思让语文、语文教育走向文化，走向意义建构。反思让语文、语文教育走向文化，走向意义建构。

二、隐喻：把握世界的新方式

隐喻是文化解释的一种方式，也是语文认识与把握世界的一种方式。

伽达默尔曾经说过这样意思的话：我们每天都沐浴在文化之中，但倾我们之所知、所能也未必说出什么是文化。这正是文化的神秘之处。因此，文化学是门特殊的科学，对它的分析不是寻求规律的实验科学，而是一种探求意义的解释科学。无疑，对语文这门学科，当然也在于给予解释，在解释中探求意义、建构意义。

这里涉及另一个问题：认识与把握世界的方式。常识告诉我们，认识、把握世界无非两种方式：感性的和理性的。两者都不可或缺，都很重要，各有各的优势和长处。理性的方式表现为下定义，十分讲求逻辑与理论支撑，而感性的方式表现为描述、想象，运用比喻。如果理性的方式常以"是什么"来呈现的话，那么，感性的方式则常以"像什么"来呈现。实践中，应该视不同情况采用不同的方式，当然如果将两者结合使用，则会进入黑格尔所说的这样的境界：美是理念的感性呈现。依我看，这正是文化解释的方式和境界，这样的方式和境界不也是语文、语文教育的方式和境界吗？在解释、表达的方式上，语文与文化是血脉相通的。

隐喻是解释常用的方式之一。一旦成为隐喻，比喻就具有很强的哲理性。美国人类学家爱德华·霍尔曾这样描述文化："文化实际上是一座监狱，除非一个人知道有一把钥匙可以打开它。"[1]这真是个奇特的比喻：文化怎么可能像监狱呢？监狱与文化有什么近似之处呢？似乎使人费解，甚至反感。其实，他的意思是在紧接着的下一句："的确，文化以很多不为人知的方式

---

[1]［美］帕梅拉·博洛廷·约瑟夫等著，余强译：《课程文化》，浙江教育出版社2008年版。

把人们联系起来。"①原来，他想说的是，监狱的方式是不太为人所知的，而我们对文化似乎很熟悉，其实非常陌生，犹如对于监狱一样。

比喻，包括隐喻，还有描述、想象等既是语文的修辞手法，是语文本身的内容，又是语文教育常用的方法，总之它是语文、语文教育应承担的任务。运用这样的方法，完成这样的任务，才拥有文化的意义，才会走向语文教育之美的境界。如果我们再发挥一下想象力：倘若语文、语文教育就是一种文化隐喻呢？我以为是可以的，也是可能的，还是极有意蕴的。当语文、语文教育成为一种文化隐喻的时候，它不仅更加美丽、更加生动，而且更加深刻、更加丰富，它犹如基因会进入学生的血脉，将会帮助学生打开宇宙之门，以独有的方式联系整个世界，乃至会在实践中逐步构建起语文的文化哲学。

三、文化隐喻：打开语文教育之门

与语文教育相关的，有下面几种隐喻。

隐喻之一：文化是由人自己编织的意义之网。②

这是美国著名的人类学家克利福特·格尔兹的一个比喻，不过，这是由德国社会学家马克斯·韦伯的一个比喻转化而来的。韦伯的比喻是："人是悬在由他自己所编织的意义之网中的动物。"③无论是格尔兹，还是韦伯，都是在阐释人类与文化的关系，因此这两个比喻是在揭示文化的实质：文化是人化；是在强化一个极为重要的观点：谈论文化就是谈论人，离开人，文化免谈。

这一隐喻的基本要义如下。首先，文化是张意义之网。文化从本质上讲意味着意义建构。其次，意义之网，涵盖着人生活的方方面面，文化无处不在，意义便无处不在，文化之网"网"住了人们的生活。再次，人不只是文化的享用者、体验者，更为重要的，人是文化的创造者。对此，汉内斯作了

---

① [美] 帕梅拉·博洛廷·约瑟夫等著，余强译：《课程文化》，浙江教育出版社 2008 年版。
② [美] 克利福特·格尔兹著，韩莉译：《文化的解释》，译林出版社 2008 年版。
③ 同上。

一个完整的阐释:"文化是'人创造的意义',但它也创造了人,从而使人成为社会的成员……人类是'建构意义'的生物。她凭借她的体验、解释、思考和想象创造出各种意义来,她不能生活在一个没有意义的世界里。意义建构在人类生活中的重要地位反映在各种丰富的意识领域里:理念、意义、信息、智慧、理解、学习、想象、敏感、看法、知识、信念、神话、传统……"①

这一隐喻之于语文教育的意义在哪里呢?不言而喻,是在关于"人"的问题上,其意义是多侧面的。第一,语文教育的根本目的是为了育人,必须真正确立"语文树人"的理念。如果语文教育只有语言文字,只关注知识,只关注基本训练,只关注分数,那就丢失了语文的文化实质,丢失了育人的根本意义。"语文树人"就是要从知识、语言文字、基本训练中发现人,以语文学习促进学生核心素养的发展,让他们成长起来。一言以蔽之,以文化人,用文化创造人。第二,仅此还不够,还应让学生参与到语文教育中来,成为语文的创造者。学生成为语文创造者的根本含义是,在语文学习中建构属于自己的意义,赋予文本新的解释,其突出表现是学生诞生了精彩的观念。这就是以文化人,师生共同创造语文。第三,要让语文成为一个意义世界。在这个意义系统里,重要的是理念、信念、智慧、道德、品格、审美等。这就是中国语文教育传统所遵循的语文教育信条:文以载道。不管时代怎么变,语文教学怎么改,文以载道将是永存的。

这一文化隐喻,给语文教育的启示是厚重的、深刻的。

隐喻之二:开始,上帝就给了每个民族一只陶杯,从这杯中,人们饮入了他们的生活。②

这原是迪格尔印第安人的一句箴言。每个民族都有一只陶杯,不同的陶杯饮入了不同的生活。这一生动、形象的比喻道出了文化的民族特性,每个民族都有自己的文化,文化让每个民族找到了安顿自己心灵的家。每只陶杯是不同的,陶杯之间也许会发生一些碰撞,但绝不会有根本性的冲突,相

①[美]帕梅拉·博洛廷·约瑟夫等著,余强译:《课程文化》,浙江教育出版社2008年版。
②[美]露丝·本尼迪克特著,王炜等译:《文化模式》,社会科学文献出版社2009年版。

反，不同的陶杯，构筑了和而不同的文化生态。当今世界正走向经济全球化，但文化决不会被全球化"化"了。在这样多元的健康的文化生态里，各民族文化维系着自己的生命，发出不同的声音，但绝不只是一种声音。从小小的陶杯里，我们似乎看到了民族的生活风景、声景与心景，独特、珍贵；透过风景、声景与心景，似乎看到了民族的胆魄、风骨与灵魂，崇高、伟大。不同的陶杯让世界丰富多彩、无限美好。

想起一档电视节目——《中国汉字听写大会》。汉字、汉字听写、汉字书写成为当年使用频率最高的词。想起余光中的一段话，大意是：杏花、春雨、江南，六个方块字，或许那片土地就在里面……还想起另一段话：中华民族优秀传统文化是万里长城，黄河、长江，是唐诗、宋词、元曲、明清小说，是春节的鞭炮、端午的粽子、中秋的月亮……这一切，都是在描述中华文化，也都是语文、语文教育作出的庄重承诺：弘扬中华优秀传统文化，让学生用中国汉字向世界讲述中国的故事，在世界文化潮流中站稳自己的脚跟，挺起民族的脊梁。

弘扬中华文化，语文、语文教育还面临着一个严峻的挑战：在现代化进程中，如何进行创造性转化和创新性发展？转化、创新，不是简单地继承，更不是简单地照搬，是扬弃，是在守护精神、思想精髓的同时让其闪烁时代的色彩；并用儿童所能接受的方式，让儿童乐学、乐用。这需要方向和理念，也需要智慧和策略。语文、语文教育正是要遵循转化、创新的规律，并积极推动转化和创新，让中华民族这只陶杯里的水永远清澈、永远丰盈、永远激荡，饮入中国人最美好的生活。

这一隐喻的启迪是语文、语文教育应当有自己的魂与根。

隐喻三：文化好比是洋葱头。

这是哲人黑格尔的比喻。他说，文化好比洋葱头，剥掉一层皮，就是剥掉一层肉，所有的皮剥掉了，肉也就没有了。文化既有体又有魂，魂与体融为一体，魂要附体，体中要有魂。这是文化的一个特性。

每次去台湾地区，必定去台湾大学，而每次去台大必去傅亭。傅亭是为纪念傅斯年校长而建。傅亭，古朴，幽静，像是一本静静打开的大书。亭中挂着一口铜钟，叫傅钟，显然也是纪念老校长的。耐人寻味的是，亭中有一段说明文字：在台大，傅钟一天应敲24下，但只敲响21下，为的是让师生们静下心来读书、思考。亭与钟是体，那不敲响的3下是魂，魂与体已一体化了，这就是文化。

由此，不禁想起女物理学家吴健雄球体型的坟墓。墓前一条小溪流缓缓流动，溪水中竖起两根杆子，杆子顶上，两只铜球悄悄转动，寓意是证明吴健雄所提出的宇称不守恒定律。墓志铭是一首小诗：她，一个优秀的世界公民，和一个永远的中国人。伫立墓前，我们会想到什么呢？

这一文化隐喻，对语文、语文教育的启迪是十分重要的，那就是如何对待语言文字与思想、精神、情怀的关系，如何对待形式与内容，如何对待写什么和怎么写……语文，尤其是中国语文，原本文与道是相融合的，你中有我，我中有你，原本是相互支撑、相辅相成的。语文教育的任务，就是让学生在语言文字里发现思想、信念、道德、智慧，引导学生在语言文字的表达中"长"出精神、灵魂来。任何"巧妙"的拆分，都是愚蠢的拆散，后果是让语言文字与思想、精神硬性分离。要说课程的整合，首先是语文内容与形式有机地整合，让"皮"与"肉"紧密相连，魂体相依，血脉相流。此时，语文才成为真正的文化，语文教学才会成为真正的语文教育。

这一隐喻对语文、语文教育的启迪，是具有学理性的。

隐喻之四：文化有一把打开大门的钥匙——方式。

这一比喻仍取自爱德华·霍尔的那段话。众所周知，文化的方式是浸润、濡化，是感悟、体验，是讨论、分享，等等。"软实力"的提出者约瑟夫·奈对软实力的方式反复作了阐释，而他用得最多的词是"吸引"。他说，"何谓软实力？它是一种依靠吸引力，而非通过威逼或利诱的手段来达到目标的能力"[1]，软实力是"同化力"，而非"控制力"，[2]其间有爱，有温情，有

---

① ［美］约瑟夫·奈著，马娟娟译：《软实力》，中信出版社2013年版。
② 同上。

责任，等等。文化是软实力的重要组成部分，软实力的方式就应该视作文化的方式。

"钥匙"的隐喻之于语文、语文教育的启迪价值不可小视。语文是一种文化的存在，文化的方式就是语文、语文教育的方式，那就是浸润——让学生浸润在语言文字里，收到熏陶和感染；那就是濡化——让学生在满是情感充溢的情境中，吮吸、消化、沉淀；那就是探究、体验——在各种表述中发现意义，体验情感。总之，是吸引人的方式——生动活泼，激发兴趣，快乐地学，快乐地思考，快乐地分享，而非控制的方式、强制的方式、胁迫的方式。

值得注意的是，文化的方式，并不排斥训练的方式，语文、语文教育需要训练，问题是需要什么样的训练。无数的事实不止一次告诉我们，任何训练总是伴随着一定情感的。因此，在"需要什么样的训练"这一问题的深处，是另一个问题："训练需要什么样的情感。"回答当然是明确的：积极的情感，是满含着爱、鼓励、信任、乐观的期待的情感。让这样的情感伴随着训练，训练就会自然进入"暖认知"的过程，训练就会温暖起来。意义的建构、智慧方式的创造也都会随之产生了。

这一隐喻给语文、语文教育的启迪是，教师和学生都要去寻找、把握、创造一把属于自己的钥匙。

隐喻之五：洞察世界的新途径——第三种文化。

严格说来，这不是文化的隐喻，只不过是一种新的文化形态。它是一种预言，预示着新的文化时代的到来。我们不妨把这种文化预言当作一种文化隐喻。

这一隐喻来自美国网络电子出版公司的创办人约翰·布罗克曼。他认为，第三种文化，简单地说就是人文、科学之外的另一种文化。第三种文化是打破纯粹人文和科学分野的文化，是用新的方式沟通两种文化的努力。倡导并实践第三种文化的人，是一批非典型的科学家和思想家，涉猎范围非常广泛，跨学科跨领域，具有特别的思维风格，更具包容性。因此有人称布罗克曼是个英雄，因为，他开辟了新领域，使科学免于干涩无趣，也使人文科学免于陈腐衰败。①

不难理解，所谓第三种文化，从宗旨来看，期望打破人文和科学的分野，培养非典型的科学家和思想家；从方式来看，倡导追求跨学科、跨领域的思维方式和思维风格；从特征来看，更具包容性，更贴近真实的世界和大众；从境界来看，要向人们揭示"人生的意义"等常识性问题；从挑战性的命题来看，第三种文化的追问是：能改变世界的是人文学者，还是科学阵营里的思想者？答案是明确的：是思想者，无论他是人文科学阵营里的，还是自然科学阵营里的——我认为。

这真的具有极大的挑战性。从常识来看，语文当然应该建构典型的语文、语文教育，但第三种文化的提出，使我们不得不思考，一定要是典型的吗？随着知识论的发展，随着时代的改变与不断进步，学科的边界逐步打开，甚至打破了，语文还要那么坚守自己的边界吗？其实边界打不打开，不在物态的边界，而在理念、内容的边界，那就是语文要更开放，更与生活相联结，语文只有在生活中才是鲜活的、丰厚的、美丽的。语文教师应该是个思想者，还要有一定的科学素养，要在人生意义、价值观上作更深入的思考，如此，语文、语文教师也是可以改变世界的。语文的跨界学习、跨界思维究竟怎么迈开一步，多元的跨界的复杂性思维范式怎么逐步建构起来……这些，第三种文化将会为我们开辟新视野、新领域、新方式，迈进新立意、新境界，否则，语文就可能衰败。当然，需要郑重声明的是：语文还是语文，语文应当更语文些，只不过它的文化视野和文化方式应该发生变化。

这一文化隐喻给语文、语文教育打开了一扇新的窗户，不，是打开了思想的闸门，打开了一个新世界。

①［美］约翰·布罗克著，吕芳译：《第三种文化：洞察世界的新途径》，中信出版社2012年版。

小学语文应该是"大语文"

——对"小语姓小"的质疑与厘清

"小语姓小",是小学语文界颇为流行的一句话。它用判断的方式,对小学语文的本质特征作了概括和描述。应该说,这样的概括、描述有一定的合理性。但仅以"小"来概括小学语文的本质特性,又显然不严谨、也不准确。加之,至今还没有人对"小语姓小"作出明确的界分,其内涵比较模糊,囫囵地使用,以致在教学实践中产生了一些误区。现在看来,"小语姓小"作为口语使用还说得过去,但作为一个概念,就经不起推敲了。这样的误区如果不加以校正,会在一定程度上影响小学语文教学的进一步改革。为此有必要对"小语姓小"进行质疑,厘清内涵,矫正误区,再讨论、再认识,以推动小学语文研究的繁荣和深度改革。

一、"小语姓小"之"小"的厘清

整个语文世界中,语文有各种不同的学段,不同学段的语文有不同的特点,有各自特定的任务和特殊的要求。只要不同学段的语文坚守自己的边界,切实完成自己的任务,达到所规定的目标、要求,语文教育的总目标、总要求必然能实现,学生语文素养的整体提升是完全有可能的。

小学语文之"小",强调的正是小学语文的学段性,强调小学语文的特点、规律和任务,它不是中学语文,更不是大学语文。学段性就是讲究梯度的设计与安排。事实上，忽略梯度的现象并不少见。温儒敏先生曾经严肃指出语文教学中常见的五种倾向，第一种倾向就是"不注重教学的'梯度'，违背语文学习的规律"。他认为："现在新编的小学和中学教材，都往新课程改革的方向靠，应当说各有特色，各有所长，这要肯定，但普遍不太讲究梯度。""编高中教材的不太考虑初中，编初中的，又不太顾及小学，彼此的衔接以及梯度更成为问题。""给一线教学带来一些麻烦，造成教学梯度的丧失。"① 梯度的忽略以至丧失，不只是教材的编写问题，还有教学实践的问题。"小语姓小"的主张提醒我们，要牢牢确立小学语文的概念、意识，增强遵循小学语文教学规律的自觉性，不要好高骛远，制定并把握好适切性的目标和要求，脚踏实地做好小学语文应当做的事。

"小语姓小"之"小"，指的是儿童。小学语文是儿童自己的语文。这里的儿童与心理学及联合国《儿童权益公约》的"儿童"不完全是同一个概念，主要指的是小学生。这一时期，与幼儿园、初中阶段相比都有明显的不同。皮亚杰明确指出，"已经从前运算思维阶段转向'运算思维阶段'"，而到了初中阶段又发生了变化，所以，"当你 15 岁时，你将看不到你 10 岁时所能看到的一切。"② 小学阶段，我们应该让学生看到属于自己的语文，而这样的语文到了初中，他们可能就看不到了。

叶圣陶说得好，"必须自儿童立场出发，方得谓之纯良之儿童读物"，"凡学生所要明晓的，倾筐倒箧，不厌其详；凡学生所要解决的，借箸代筹，唯求其尽"。③ 南京市北京东路小学孙双金和他的团队构建"12 岁以前的语文"，正是旨在运用心理学研究成果，着眼于儿童语文学习的可持续性，从儿童学习语文的规律、特点出发，在终身学习的框架中，探讨和把握小学语文的目标、任务，建构儿童语文体系，促进小学语文的进一步改革。小学语文之"小"，注重儿童的特性，是难能可贵的。

---

① 温儒敏：《语文教学中常见的五种偏向》，《课程·教材·教法》2011 年第 1 期。
② ［加］居伊·勒弗朗索瓦著，王全志、孟祥芝等译：《孩子们——儿童心理发展》，北京大学出版社 2004 年版。
③ 叶圣陶著，朱永新编：《叶圣陶教育箴言》，福建教育出版社 2013 年版。

"小语姓小"之"小"，所凸显的是小学语文的学段性和儿童性，强调的正是小学语文的基础性和适切性。这两个"小"的特性，向当下小学语文教学提出了一个很严正的要求：应扎扎实实打好语文素养基础，切忌盲目地进行所谓的超前教育。

然而，小学语文教学中盲目地进行超前教育的现象仍然存在。比如，不切实际地提前读与学，以读写得早、读写得多为目标；缺少实验基础的主题单元结构，无形中加大了教学的难度，用高梯度代替适切的梯度；作文教学的要求凭想象任意拔高，以中学生甚至成人的标准评价小学生的作文，丢失了小学生作文文通字顺、真情实感等基本要求；把校本课程开发的重点放在语文的拓展、加深上，既忽略了校本课程的主旨——发展兴趣、爱好、特长，也忽略了校本课程开发应超越学科进行综合的特点。产生这些超前教学现象的原因是多方面的，而对小学语文之"小"的特性缺乏认识，是一个不可忽视的原因。此外，这一现象也反映出对儿童的可能性缺乏真正的把握。不可否认，可能性是儿童的最伟大之处，但可能性"潜伏"在现实性当中，可能性与现实性尽管有很大的差距，但内在是密切关联的，绝不能跳离现实性去追求所谓的可能性。

当下，一些家长把自己的愿望投射在孩子身上，这种拔苗助长式的教育伤害了孩子的发展，作为语文教师更应深知这样的道理。倡导"小语姓小"，就是谨防这种"超前教育"对孩子的伤害，教师要把准基础、把准适切性、把准小学语文教学的真起点。

二、不能以"小"来限制自己

当然，仅以"小"来认识和践行小学语文的本质特性是很不够的，也是有一定危险的。因为"小"不是小学语文唯一的、更不是根本的规定性。此外，"小"绝不意味着无所作为，不能以"小"来限制自己、框住自己；"小"绝不是意味着低起点、低要求，不能以"小"降低标准，失却语文教育应有的引领使命；"小"也绝不意味着不应有大视野、大格局。实事求是地说，这些误区的产生，与缺少深入思考和真正研究有关，也与当下喜欢追风，不加辨别地赶新潮有关。但是，值得注意的是，正是这些认识上的误区，误导了实践，也影响了小学语文教学的研究。因此，有必要对这些误区作一些梳理和分析。

1. 在课程开发上，因"小"而把重点囿于教材的使用上。

教材是课程的主要载体，也是课程的重要形态，国家审定的教材，体现了国家对公民的基本要求，也体现了国家意志，对国家课程语文教材不可有任何的轻慢。但教材不能等同或取代课程，倘若小学语文囿于教材，就会闭塞语文与生活、语文与世界的通道。课改之初，我们勇敢地提出，教材不是圣经，教材可以质疑，可以创造；教材不是唯一的课程资源，语文教育应当开发更丰富的、多元的资源。这是我们从理念到行动的一大进步。但是，慢慢地，我们不难发现，关于教材改革上的一些理念，在一些地区、学校被遗忘，甚至丢弃了，其原因是复杂的，不过，这些与认为小学语文只能是"小"的影响还是相关的。因为"小"，就不能大；因为"小"，就不能多样；因为"小"，就不能"复杂"。总之，因为"小"，只能简单，甚至演变为单一。

前段时间，听到有人对教师自己创生语文教材有些议论，大概的意思是，教材都学不好，还能学其他的吗？认为这是舍本逐末的危险做法。对这些观点，我持怀疑态度。一位小学六年级的女学生，对上初三的邻居哥哥说，除了数学、物理、化学、生物以外，语文、历史的一些问题我都可以帮助你。后来，在她的帮助下，那位哥哥的语文、历史有了很大进步。而这位女学生正是在教师自己创编的教材中丰富、提升自己的。她"小"，但又不"小"，因为她学的是大语文、大课程。看来，"用好教材，超越教材"的理念是对的，应当提倡和坚持。的确，课程开发应当冲破因"小"而束缚自己创造性的教材观。

2. 在练习设计上，因"小"而把重点放在简单的内容和形式上。

语文练习的内容与形式一定要符合小学生语文学习的任务、要求和特点，力避练习内容在形式上的深、难、繁、杂，而应追求简约、适切、有效。但是，我们往往存在两种不同的倾向：一方面是不顾及实际地进行提前、超前教学，追求所谓的深度；另一方面又往往过于谨慎，编制一些偏于简单的练习题，如过多地抄写，过多地背诵某一段落，过多地体会某一句话的意思，就是单一、枯燥以及无意义的重复，不利于学生思维发展和创新精神的培养。这两种倾向看起来是相反的，在本质上却是一致的，那就是偏离了真正的适切性，又缺失了必要的真正价值的引领。这两种倾向，又与对儿童发展性认识与把握不准确有关。忽高忽低、忽难忽浅、忽远忽近，都是对"小"认识与把握的摇摆。

这里还涉及另一个问题，即什么是作业？作业的功能究竟作何定位？美国联邦教育部部长对作业的界定是：作业不只是为了复习和巩固知识，而是让学生又一次获得自主学习和探究的机会。不能准确把准作业的功能定位，往深处讲就是没有把准语文学习的目的，没有把握小语之"小"的尺度。"小"，不是简单，也不是浅近，更不是平庸，而应以"小"见大，以"小"见深，以"小"带动必要的难度、深度、广度。"最近发展区"理论同样适用于小学语文，适用于小学语文练习的设计和开发。

3. 在教学评价上，因"小"而过于注重教学的技术性和所谓的细节性。

由于对"小"的误解，在小学语文教学的评课中，往往拘泥于教学的技术、手段、方法和细节问题的评价。因为，在一些专家和教师意识的深处，"小"就要落实，要落实在教学过程中的细微末节之中。这原本是无可非议的，任何时候都不可忽略，更不可鄙薄技术、手段、方法和细节。

值得注意的是，任何技术都必须服从于理念和内容，任何细节等都应置于宏观的设计之中，缺少人文特征的技术再先进也是没有价值的，缺少宏观背景的细节不一定能决定成败。过多在教学细节等问题上的评价，缺少对总体设计、整体布局的把握，缺少对语文教学一些基本问题的深入认识，缺少对教学主张、教学风格的关注和追求，因而显得不大气，很可能陷入技术性的泥淖，剩下碎片而无整体，剩下工具理性而无价值理性，渐渐地会去钻不必要的"牛角尖"，而忘掉人发展的方向、原则，教师也很有可能被技术化、工具化和狭隘化。

需要说明的是，倡导听课评价的宏观意识和整体意识，绝不是说大话、空话，而是宏观与微观的结合、理念与细节的结合。这样的评课，好像是没有"大""小"之别的，即使是小学语文亦应如此。

三、小学语文要进行"大语文"的再建

小学语文是什么样的语文？我们坚定地认为：小学语文不因是小学而成了"小语文"，恰恰相反，小学语文应当是"大语文"。

语文原本就是大的，其内涵与外延几乎与整个世界相等；语文原本就是一种生活，语文生活丰富多彩；语文原本就是一个世界，语文世界宏大、辽阔。

这是一个不断被理论和实践反复证明了的道理：语文应是大语文。但我们为什么常常会犯糊涂呢？深究起来，与对小学语文"小"的认识有一定关系。这样的"小"，实质上是一种自我隔绝。克里希那穆提曾有过重要的判断："世界与我们是无分别的"，"我们都想找到脱离陷阱的方式，可是却不知道造成这个陷阱的就是我们"，"我们在自己的四周筑起了一道墙，然后把自己封闭在一个秘密的世界里，这道墙乃是由各种的程序、概念、语言及坚信的事物，小心翼翼地建构出来的"。① 这些具有普遍意义的哲理，当然适用于小学语文。

小学语文应当警惕，千万别用所谓的"小"为自己造一道墙、造一个陷阱，把自己封闭起来、禁锢起来，与外面的世界隔绝起来，变成一个"小圈子"，变成一个"小时代"，变成一种"小语文"。

克里希那穆提也很中肯地对我们说，要打开那扇被关上的门，钥匙就在你自己手中。《义务教育语文课程标准（2011年版）》设置了综合性学习，倡导要贴近现实生活，应开放、多元，"提倡与其他课程相结合，开展跨领域学习"，"积极构建网络环境下的学习平台，拓展学生学习和创造的空间"。② 这既为我们导了航，也为我们预留了很大的空间。语文应当自己解放自己，小学语文也应突破"小"的误解所带来的束缚，与生活相联系。语文课程丰

---

① [印]克里希那穆提著，胡茵梦译：《世界在你心中》，深圳报业集团出版社2007年版。
② 中华人民共和国教育部：《义务教育语文课程标准（2011年版）》，北京师范大学出版社2012年版。

富的综合性、实践性，语文的工具性与人文性相统一，才是小学语文的本质特征，而不要望文生义，以"小"解"小"。

小学语文应是大语文，应当有大视野、大格局。除了要与生活相联系，带领学生走向世界以外，还应着眼于学生的未来发展、终身发展。用叶圣陶的话来说，当下的语文教育就是要在孩子们的心田里播撒种子，帮助学生自主地、创造性地学语文，过有意义、有理想、有追求的语文生活，为其未来的语文学习以及终身发展打下语文基础、人文基础。

着眼于终身发展的语文，有价值理想的召唤，并在现有的基础上，进一步完善语文教育的体系，改进当下的语文教学实践，让学生带得走的语文，一定是大语文。把头抬起来，向远处瞭望，胸中有大视野，小学语文才会有大格局。

如上所述，大语文还应在体系上下更大功夫。严格说来，当下的小学语文还没有建构起一个完整的体系，建构课外的语文学习、生活中的语文教育、与世界对话的语文教育，还有很多事要做；语文课程内容本身，以及课文组成的体系还有待研究、调整。

总之，小学语文是大语文，语文人应当有追求、建构大语文的理想和使命。

不要淡忘了课改的使命

——语文教学改革主导思想的追问

  语文，因其学科较强的公共性和文化的普适性，历来是一个为大家所关注的领域，改革也显得特别活跃。前段时间，一些专家和教师对当下的语文教学提出了批评，指出了存在的问题，诸如追求热闹，内容显得杂，教学也比较虚空、不扎实等；并有很好的建议，如要坚持语文的本色，追求教学的简单、平淡等。批评是尖锐的，但却是中肯的，建议也是很有价值的。与此同时，也有不少教师发表了不同的看法，认为上述问题并不是普遍现象，更不是主要倾向。他们还提出了自己的主张，并在教学实践中坚持探索和研究。而大多数教师颇感困惑，说：语文教学如履薄冰，我们有点不会走路了。语文教学改革将会有一场争论，这是件好事情。

  这场正在悄悄展开的争论让我想起了加拿大教育学者迈克尔·富兰在《变革的力量》中所说的一段话：变革是一个旅程，而不是一张蓝图；变革是非直线的，充满着不确定性和兴奋，有时还违反常理。是的，语文教学改革正是一个旅程，如今已走进了"大森林"。在森林中，我们既看到高大、广阔和多彩，充满兴奋和激情，也会被迷雾遮蔽，在过于沉寂中有可能找不到前行的方向和路径，在"非直线"的行走中极有可能退回原处，甚至向相反的方向走去。于是，我们不得不严肃地问：语文教学改革的方向究竟是什么？究竟什么问题是本质的，是居主导地位的？在森林之旅中究竟怎样才能走出森林，走向广阔的蓝天？其实，答案是十分明确和简单的。答案在哪里？就在《基础教育课程改革纲要（试行）》和《语文课程标准》中。大概是我们的兴奋点以往过多地放在经验事实上的缘故，再次阅读纲要和课标竟有一种新鲜感：新课程要使学生"具有初步的创新精神、实践能力、科学和人文素养"，"倡导学生主动参与、乐于探究、勤于动手，培养学生搜集和处理信息的能力、获取新知识的能力、分析和解决问题的能力及交流合作的能力"，"拓宽语文学习和运用的领域"……显然，纲要和课标的精神与要求聚焦在创新和实践上。课改理念、宗旨及重点的定位，与国家自主创新的发展战略相吻合，是"国家思维"、民族进步之魂在课程改革中的具体落实和体现。语文教学改革任何时候都不能轻慢、更不能丢弃这一伟大之魂；大胆改革，积极探索，鼓励创新，培养学生的创新精神和实践能力，丰富学生心灵，在新的高度上审视和培养学生的语文素养，应当是语文教学改革的方向。这就是我们所要寻找的森林之旅的"罗盘"，就是语文教学改革中居主导地位的问题。当前的改革只是起步，还只是朝着这一方向与目标逼近，离目标的实现仍有很大的距离，我们做得还很不够。对这一方向与目标，任何时候，任何情况下都不能怀疑，不能徘徊，不能偏离，更不能后退。

是的，改革还只是开始。在前行的旅程中，我们需要常常回想过去，重温历史，与我们的"前身"作一次对话，以提醒我们不断向前。课改前，曾有一次全国性的语文教学大讨论，一些铮铮话语我们不能忘记。许纪霖在《我们的教育制度在理论上存在误区》中说道，像现在这样一个语文教育，整个破坏了学生对祖国语言和中国文化的兴趣，这是一个比任何事情都要痛心的事。夏中义在《我想做一个尝试》中指出，用一句话来说：把这么一个富有诗性的、情感的、想象的学科，变得工具化、机械化，这对孩子灵魂的塑造所带来的负面影响不言而喻。语文教学中长期存在的这些问题，解决了没有？可以十分肯定地说，还没有，而且这些问题还比较普遍地存在着，并影响、干扰着今天的语文教学改革。值得注意的是，创新、个性、探究等这些关键理念正在从我们的言说中淡出，在我们的改革中淡化。历史的教训、改革的使命，难道能在简单的"回归"中忘掉吗？

这场争论实际上隐藏着三个问题，需要进一步弄清。

一、我们应当重点关注和研究日常课

"热闹""虚空"等问题究竟在多大范围内存在？现象学认为，讨论问题要"回到事情本身"。语文的公开课和日常课都是一种"事情本身"。我们要关注公开课，因为它是一种实验，一种实验后的汇报和讨论，从某种角度说，它是一种教学观摩和示范。事实证明，公开课确实以它特有的面貌宣传了课改的理念，示范着课改所倡导的教学方式和学习方式，推动着语文教学改革，在这些方面它发挥了很大的作用。但不可否认，一些公开课掺杂着个人狭隘的理解，对课改、课标的精髓把握不准，因而片面地演绎着课改的精神和要求；一些公开课追求规模与现场气氛，追求所谓课堂教学效果，呈现着功利化的倾向；尤其是少数公开课以课改的名义作秀，把公开课当作表演与炫技的舞台。

我们的基本判断是，"热闹""虚空"等问题主要发生在公开课上。日常课的情形就大不一样了。同样不可否认，如今的日常课已经不是一潭死水，也正发生着积极而可喜的变化。但是，如果细心观察，就不难发现，日常课总体上仍是以灌输为主，学生被动地接受；仍是以训练为主，简单、机械的训练逼仄着学生的思维，个性化阅读还处于边缘；课堂仍比较封闭，学生的视野还是被限制在文本里和教室里。总之，日复一日的日常课呈现着与公开课不同的状况和问题，它不是改革的越位问题，恰恰是远未到位的问题。这才是语文教学当前的"常态"和主要状态。我们关注的目光、改革的着力点究竟投射在哪里？当然要集中在面广量大的日常课上，否则，对"事情本身"就难以有全面、准确的把握，决策因此而发生偏差，课改的理念与要求因此而难以落实。

二、我们应正确看待中国基础教育的基础

文章开头所说问题的背后，实质上关系到对中国基础教育优势的认识与把握问题。中国的基础教育确实是有特点和优势的，那就是重视基础。基

础是不可替代的，也是不可超越的；基础是可以再生的，因而支撑着持续发展；基础教育必须重视基础。长期以来，我们正是遵循着基础教育的性质、任务和特点，在为学生打好基础上作了很多探索，积累了丰富的经验，形成了良好的传统。但有一个现象引起了我们的反思：为什么我们"赢"在起点，却输在终点？反思的结果是：我们并没有真正赢在起点。说赢在起点，是以为我们的基础好。但与美国相比，我国的"童子功"是多学、多练、多记、多考，而美国的"童子功"是多看、多问、多想、多干，我们培养的是"考生"，美国培养的是"学生"。我们并不妄自菲薄，也不轻言否定，更不放弃长期形成的优秀传统，但是，公认的事实是，我国中小学生缺的正是个性的发展、创新精神的生长。此外，一个不可回避的理论问题是，"基础"的内涵已经发生了很大的变化，态度、情感、能力等已走进了"基础"，同时，打基础的方法也发生了变化，如今更强调学生的主动参与，更强调科学的方法。如果对基础以及如何打基础没有新的认识和新的方法，如果在继承传统中没有批判，没有发展，我们的学生不仅会输在终点，而且会"伤"在起点。因此，如果不强调以创新的思想作指导，语文教学改革就有可能在简单、平淡、扎实中消沉、倒退。我们应非常理性地对待传统的"回归"。

三、我们应引导教师更关注理念的提升

课改中有两种面向，一是技术面向，二是理念面向。这两种面向都重要，都要坚持。从当前的实际要求看，教师们更关注教学的技术问题、具体操作问题，而且这一呼声越来越高。这种要求是正当的，我们不能坐而论道，只讲理念，而不讲技术；教师对新课程的理解往往是在具体的操作和实施中逐步加深的，也是在教学实践中逐步成长起来的。但是，我们在引导教师关注技术的同时，更要引导他们关注理念。柏拉图说，世界上的万事万物转瞬即逝，但只有事物背后的本原——理念是完美的永恒存在。理念与技术具有不同的意义，技术面向的结果是工具理性，只重结果，只重效率，过程与价值被搁置起来，失掉的将是价值思想和教学中精神高地的构筑。我们应当把技术面向和理念面向很好地结合起来，而且更要引导教师关注和追求理

念的转变，因为课程改革的最高境界是理念的提升。语文教学更应这样。于漪老师在解读语文课程标准时曾有一段十分精辟的论述：一定要改变对语文学科的陈旧看法，认为语文只是读读写写等技术性、技巧性的小事，对现代人的培养无足轻重。殊不知，语言、思想、情感同时发生，语言这个交际工具不仅仅是文化的载体，而且还是意识、思维、心灵、人格的组成部分。遗憾的是，在改革实践中，我们往往只关注技术、技巧，而忽视意识、情感、思维、心灵。事实也不止一次地告诉我们，思想不转变，理念不提升，那些简单、平淡、扎实等本应是十分宝贵的东西，极有可能会窄化、僵化，甚至会异化。我们一定要把技术面向和理念面向结合起来，特别要把理念转变、创新精神培养始终放在首位、上位，让它们始终居于语文教学的主导地位，引导教师去关注，去实践，去追求。唯此，森林之旅才会在"罗盘"的指引下，走出森林，沐浴在灿烂阳光中，最终定会获得返璞归真的那个"真"。

语文特质·语文素养·语文实践
——课标核心概念及其内涵解读

尽管《义务教育语文课程标准（2011年版）》（以下简称《修订稿》）是对原《实验稿》的完善，但深入学习也会发现其修订后所彰显的基本思想和精神。其中，有的是坚守、重申，有的是调整、改进，有的是补充、增加。这些基本思想和精神聚焦在几个核心概念上，这些核心概念形成了课标《修订稿》的核心范畴。所以，对课标《修订稿》的领悟和践行不妨从深入理解、准确把握几个核心概念入手。

一、语文特质：学习祖国语言文字的运用

语文课程究竟是什么样的课程？语文课程的特质是什么？这是一个长期争论无定论的问题，许多语文教师强烈要求课程标准能对此作出明确的回答。经过讨论修订，课标《修订稿》对语文"课程性质"的表述作了如下修改："语文课程是一门学习语言文字运用的综合性、实践性课程。义务教育阶段的语文课程，应使学生初步学会运用祖国语言文字进行交流沟通，吸收古今优秀文化，提高思想文化修养，促进自身精神成长。工具性与人文性的统一，是语文课程的基本特点。"显然，这一慎重研究、修改后的表述，把语文课程的特质聚焦在"学习语言文字运用"上，进而突显了"实践性"和"综合性"。与此同时，课标《修订稿》又坚守了"工具性与人文性统一"这

一"基本特点"。这样的表述，我以为，就会把大家从"工具性与人文性统一"的争论中摆脱出来，又引导大家把目光投向了"学习语言文字运用"，去关注和研究语文的特质。无疑这是重要的又是智慧的，当然首先是正确的、科学的。叶圣陶先生早就揭示了语文的特质。语文教师必须具备两个观念，其一便是"在教学的时候，内容方面固然不可忽视，而方法尤其应当注重"。他进一步指出了"语文教学特有的任务便是重视语言文字的理解和运用，便是要重视语文的形式和方法"。王尚文教授将此称作是语文教学的"独当之任"。所谓"独当之任"，就是基于特质的特殊任务，我愿意称其为"核心目标"。正是这样的"特有的任务"，揭示了语文的特质。所谓的工具性与人文性的统一，应当统一于此——学习祖国语言文字的运用之中，舍此，还有什么特质可言？还有什么语言可言？

如果我们的讨论再拓宽一些，往深处走一走，不难发现，课程是个结构。在课程的世界里，所有课程都"和而不同"。以往，我们更多关注的是"和"，而忽略了"不同"。"和"指的是课程共同的基本性质，"不同"则是不同学科的"特有任务"，是特质。正是这样的"不同"才构成了丰富多彩的课程世界，才从不同的角度促进了学生的全面发展和个性发展。费孝通先生在阐述文化自觉时，首先指出的是"各美其美"，然后才是"美人之美"，最后才会"美美与共"，达致"天下大同"的境界。"各美其美"不正是不同学科的特殊性吗？语文之"美"不正在"语言文字运用"上吗？

如果再回到"语言文字"上，也不难发现语文的特质是离不开语言文字的学习运用的。不管是把语文称作"语言文学"，还是称作"语言文化"，它都不能离开语言文字。语言文字是基础，是依托，语言文字是语文之生命——可能有人是不赞同的：语文之生命是思想、精神，怎会是语言文字呢？看看马克思是怎么论述语言文字的。他说，"语言是思想的直接的实现形式"，"观念从一开始就不可能离开语言而单独存在"。语言文字的背后是思想，思想附着在语言文字上，"学习语言文字运用"的内核是用语言文字表达思想。还自然想到了海德格尔。他说："诗人让语言说出自己。"其实，何止是诗人呢？他继续说："人这个在者正是以说话的方式揭示世界也揭示自己。"我们常经受语言的体验，而"那随着语言所经受的一种体验，就会触及我们此在最内在的结构"。显然，语言文字关乎人的"最内在的结构"，关系人对自己的"揭示"，语文世界实质是人的精神世界。"学习语言文字的运用"如此有深意。

可以这么说，语言文字的学习和运用不断彰显着语文的特质，让语文成为语文。但长期以来，直至现在，语文教学只重视内容而忽略方法，忽略形式，忽略语言文字的学习和运用。如今，课标《修订稿》颁发了，我们应当坚定不移地在"学习语言文字运用"上下足功夫，以让语文真正归位。

二、语文素养：语文的"核心任务"

大家都清楚地记得，课标《实验稿》中有这样的规定和表述："语文课程应致力于学生语文素养的形成与提高。"课标《修订稿》保留了这一表述。这是一种坚守，这种坚守是正确的。就我个人看来，"学习语言文字运用"点击的是语文的特质，而围绕这一特质展开的任务是"语文素养的形成与提高"，我把这概括成"核心任务"，无非是强调它的重要地位和价值。何为语文素养？各有各的理解，我以为，课标修订组负责人温儒敏教授有一个界定，是可以帮助我们来理解的。他说："语文素养"这个概念，体现一种新的更阔大的教育视野。课程标准所说的"语文素养"，是指中小学生具有的比较稳定的、最基本的、适应时代要求的听说读写能力以及语文方面表现出来的文学、文章等学识修养和文风、情趣等人格修养。温教授把语文素养界定在三个重要方面：听说读写能力、文学文章的学识修养、人格修养。而这三个方面，都离不开语文的特质，即"学习语言文字运用"。我以为，语文素养的形成与提高，首先是语文要实施素质教育，抑或说是让语文教学素质化。《国家中长期教育改革和发展规划纲要（2010—2020年）》中明确规定，素质教育是教育改革与发展的战略主题，并指出"要坚持全面发展"，"提高学生综合素质"，"培养学生良好的审美情趣和人文素养"。语文是实施素质教育这一战略主题的重要载体，是提高学生审美情趣和人文素养的重要途径。说到底，语文是促进学生素质全面发展的核心课程。语文素养的坚守与强调，使语文教育坚定地在素质教育的轨道上运行。这是方向，不可有任何的怀疑、动摇和松懈。

根据温儒敏教授的界定，语文素养是一种能力，是听说读写能力。能力是超越知识的。语文教学不是否定知识的传授，任何轻慢知识的做法都是错误的、危险的，问题在于如何获取知识，在于如何使知识转化为智慧。用灌输的方式传授知识是"死"的，让学生自主探究、体验的方式，包括让学生在自主、积极状态下的接受性方式，获取的知识是"活"的。语文知识"活"在自主学习中，"活"在探究中，"活"在体验中，"活"在积极的建构中。"活"的知识是种能力，是种智慧，是一种语文素养。所以，听说读写能力的培养是知识转化为智慧的过程，是内化为学生语文素养的过程，转化与内化应当是语文素养形成和提高的基本方式。"在语文方面所表现出来的文学、文章等学识修养"也是重要的语文素养。我们也许会问：对于初中生、小学生而言，提"学识修养"是否要求过高？问得有道理。我的理解是：第一，这是一种修养，而非学识本身。第二，这是从语文学习中表现出来的，而非灌输、强加的。第三，学识修养可以有这几个层面：在情感层面上，让学生热爱祖国语言文字，欣赏文学作品，从中受到陶冶；在认知层面上，学习和把握文学、文章的基本知识，从知识中体味祖国语言文字的魅力；在能力层面上，初步把握欣赏、分析以至创作的能力，表达内心的感受，表达对祖国的热爱、对世界的关注。语文教学不必回避知识问题，不必回避学识问题。特别是，学识修养是学生必备的素养，修养的过程是内化的过程。

有关的文风、情趣等人格修养是更为重要的语文素养，是语文素养的灵魂。教育就是为了培养人格，如陶行知所说，教育要筑起人格的长城。而人格的内核是道德，道德是人类的最高目的，是教育的最高目的，当然也应该是语文教育的最高目的。这一切都不是游离于语文的，而是在语文教育过程中"长"出来的，"长"出来的人格体现在学生的情趣、文风的表达上。在这里，仍然用得上"文以载道"这一古训，这一原则最深刻也最生动地、最简洁也最丰富地阐释了人格修养与语文素养的关系。课标《修订稿》中并未用"核心任务"这个概念，我的理解，语文素养的形成与提高应当是语文教育的核心任务。

三、语文实践：语文教育的基本方式

语文课程是一门学习语言文字运用的综合性、实践性课程。我认为，"学习语言文字运用"是课标的第一核心概念，"语文素养"是第二核心概念，而"综合性、实践性"则是第三核心概念。需要说明的，这里的"第一""第二""第三"尽管也有亚里士多德所说的"第一哲学"的"第一"的意思（亚里士多德认为，"第一哲学"具有为所有其他哲学部门准备基本概念和基本规律的功能，是预设性的前提，是"在先的"[①]），但更重要的是指次序，并非降低"综合、实践"的作用。

实践性与综合性既有区别又有联系，实践的东西往往具有综合性，所以我认为实践是语文教育的基本方式。

说到语文实践，自然想到惯常使用的"训练"。语文教学确实有一个训练问题。无可非议，语文教学应当理直气壮地加强训练，马克思早就说过，"语言是一种实践的意识"，有学者认为，以前从索绪尔到乔姆斯基都忽视了儿童的语言运用的能力，到了布鲁纳、贝茨、麦克惠尼才开始重视儿童语言交往中的实践的重要性，提出了语言获得理论的社会交往说，这也是伦内伯格所提出的"语言习得"。事实证明，课程改革后的语文教学并不否定、排斥语文的训练。但是，对此，我们应当确立以下几点认识：其一，"训练"是长期以来语文课程的重要概念，我们共同的体认是，如果语文教学以训练为核心，或曰以训练为主线是不行的，而且是有害的——学生正是在无边无际、无穷无尽的训练中被湮灭了兴趣，也伤害了其语文素养。因此，再也不能像过去那样强化训练，否则，活生生的、活泼泼的语文学习就会变成重复的、单一的、机械的、枯燥的训练，又回到课改前的状态，以训练代替教育是千万不行的。其二，训练只是语文实践的一种方式，"语文实践"这一概

---

① 朱小蔓:《关注心灵成长的教育：道德与情感教育的哲思》，北京师范大学出版社 2012 年版。

念无论内涵还是外延，都大大超过了语文训练，语文实践的形式、方式更丰富、更开放。比如，《国家中长期教育改革与发展规划纲要（2010—202年）》指出，"要倡导启发式、探究式、讨论式、参与式教学，帮助学生学会学习"。这些学习方式、实践方式，使知识"活"了起来，培养了学生的能力，这些能力学生是可以带得走的。其三，根据以上认识，语文训练现在虽然仍在语文新课程中，但是已被包含在新的"语文素养—养成"的模型中，所以，"训练"一词不再是像以前那样频繁出现。

看到上海市语文特级教师黄玉峰与上海电视台主持人在"上海书展"中的一段对话。他们说，语文课堂上，小学生从一二年级就开始训练阅读分析，而且只允许有一种理解，一个声音，一个标准答案，大量假、大、空的分析占去了孩子们的大好时光。黄玉峰的观点是：语文学习的规律是"培根""积累"。他们的对话很有针对性，对我们很有启发。所谓培根，是让学生在丰富的生活中学语文，从生活中寻找到语文之根、人格之根。"生活有多大，语文就有多广"，正是让学生走到生活中去实践，去培根。所谓积累，是在实践中自己积累知识，深化体验，提升情感，丰富经验。事实证明，通过自己实践的东西才会真正积累起来。

语文实践是语文教学长期以来经验积淀所形成的"语文学习之道"，揭示了语文学习的规律，又具有时代意义和特点。这一"语文学习之道"针对着灌输式的传统做法，其背后是人，是学生，是学生的主体性，是学生主动地学习，学会学习，创造性学习，享受学习。学生是语文教育过程中的主体，学生是语文的实践者。我们应当紧紧把握住"实践性"，坚持以实践为语文教学的基本方式，让学生以自己的方式学习语文，在实践中培养实践能力和创新精神，让学生真正成为会学语文的主人。

四、表述的改变：悉心领悟背后的深意

根据修订小组专家的介绍，此次课标修订，修订最多的是语言的表述，包括补充了提示和说明。这样修改主要是使意思更加准确、明晰、具体。不过，我以为，表述改变的背后，实际上是理念的梳理、目标的聚集、重点的

突出、梯度难度的调整等。比如，上文所讨论的"语文素养"，吸收了许多教师的意见，在"基本理念"部分，增加了"初步掌握学习语文的基本方法，养成良好学习习惯"和"通过优秀文化的熏陶感染，提高学生的道德修养和审美情趣"等。这样的补充，进一步清晰了"语文素养"的内涵，也点明了提高"语文素养"的途径和方法。这样表述更为周全，也更为妥帖。

课程标准由课程性质、课程基本理念、课程目标、实施建议等部分构成，每部分都重要。但是以往我们往往关注课程目标，而比较忽略实施建议。用施良方的话来说，课程实施是课程改革中具有实质意义的环节。因此，轻慢实施，课程理念、课程目标就得不到落实。课改以来，尤其此次课标修订，特别加强实施建议的修订。修订后，实施建议已不是一般的建议，在某种程度上，一些建议已成为一种要求；建议也不是原则性的提及，而是明确的规定和具体阐释与说明，更具可操作性；同时，建议更有针对性，教师更易理解更易接受。此次修订，实施建议部分中有以下几点值得我们关注和思考：

1. 关于识字教学问题。根据调查，近几年的识字写字教学存在比较明显的欠缺。据专家介绍，问题主要在以下三个方面：错别字情况严重；书写质量普遍较低；有的地区小学低年级学生写字的课业负担过重。因此，此次修订，从以下几方面采取了措施：①义务教育阶段始终强调"正确的写字姿势"和"良好的写字习惯"，强调书写的规范和质量。②适当降低中低年段识字写字量的要求，如第一学段（一、二年级）识字量由"1600～1800"改为"1600左右"，写字量由"800～1000"改为"800左右"。③针对负担过重问题，在教学建议中进一步强调"多认少写"的原则，扭转多年来形成的每一字必须达到"四会"要求的观念和做法。④在国家语委和有关专家的支持下，推出了《识字、写字教学基本字表》和《义务教育语文课程常用字表》。需要说明的是，"基本字表"的主要作用是让学生在初级阶段熟练掌握300个"基本字"。选出的这些字里包含汉字的各种笔画类型和基本间架结构类型，学生真正掌握后，学习其他字可以少花时间和气力。此外，根据统计，2500个左右的汉字可以覆盖95%以上的现代阅读材料，学生在语文学习早期先学这一部分字，有利于较早地顺利开展阅读。为此，"常用字表"中的表一，就是要求尽可能先安排学习这些字。

2. 关于阅读教学中的读书问题。在阅读教学建议部分，进一步强调"读书"在语文学习和思想文化修养中的关键作用，要求重视阅读的兴趣、习惯、品位、方法和能力，继续倡导"阅读是学生的个性化行为"，"要珍视学生独特的感受、体验和理解"，同时，明确提出"应引导学生钻研文章"，"要善于通过合作学习解决阅读中的问题，但也要防止用集体讨论来代替个人阅读"。这样的表述更为辩证，更为周全，导向更明确。

3. 关于教学的年段梯度问题。在写作教学建议部分，写作目标作了调整："第一学段定位于'写话'，第二学段开始'习作'。"其意图在于，"降低学生写作起始阶段的难度，重在培养学生的写作兴趣和自信心"。这样的梯度是比较合理的。阅读教学也体现梯度。温儒敏先生在《语文教学中常见的五种偏向》中，指出存在的第一种偏向就是，"不注重教学的'梯度'，违背语文学习的规律"。温先生认为，阅读教学，"小学一二年级主要还是要激发兴趣，让学生接触阅读，喜欢阅读，感受阅读的乐趣，多少能够做到结合上下文和生活实际了解课文中词句的意思。一开始最重要的就是尊重天性，培养'兴趣'。到了三四年级，开始学习默读和略读。做到不出声，不指读；粗知文章大意，能联系上下文，理解词句的意思，体会课文中关键词句表达情意的作用。而到了五六年级，阅读才有速度要求，要让学生学会浏览，能初步阅读叙事性作品。"[①]

4. 关于语文知识教学问题。有人建议课程标准拟出一个语文知识序列，便于教师教学。这个意见有合理的成分，专家组也组织力量进行了专题研究，试图对有关语文知识及相关建议尽可能细化和系列化，也曾根据课标将各学段目标中所涉及的语文知识整理出来，但在听取了多方面意见后，经反复斟酌，最终放弃了这一打算。为什么？我理解，其一，课改以来，对知识教学我们不仅不排斥，相反十分重视，问题是语文教学的主导思想并不是知

---

① 温儒敏：《语文教学中常见的五种偏向》，《课程·教材·教法》2011 年第 1 期。

识，而应是能力、智慧。列出知识要点有可能传达一个错误的信息：以往我们忽视了知识，现在纠偏了。教师们很容易围绕知识点进行教学，以致误导教学。其二，语文知识内容本来就已经包含在课程目标中，将知识、能力、过程、方法、情感、态度、价值观方面的要求糅合在一起，只要用心，就会发现知识教学要求的内容还是有序的，知识教学也会落到实处。其三，语文知识内容要求的这种渗透，对教师的备课、教学设计、教学过程的展开提出了更高的要求，对教师语文专业知识的丰富、专业能力的提升、专业智慧的生长有更大的促进作用。说到这儿，我想把自己的学习体会作一小结：其一，语文新课标规定了语文的核心目标是学习祖国语言文字的运用；其二，在这一核心目标指引下，语文的核心任务是全面提升学生的语文素养；其三，为了完成核心任务，实现核心目标，必须加强语文实践，即运用语文实践这一核心方式指导学生学习语文。总之，语文课程标准的修订，意味着教学改革的又一次出发。在前行的道路上还会出现这样那样的问题，比如仍有可能以教师的分析代替学生的阅读时间，以集体讨论代替学生个体阅读学习，远离文本进行过度发挥；仍有可能出现"人文升腾"，而"工具失落"，形式化、表面化的现象还会存在；也仍有可能，自觉或不自觉地束缚教师手脚，妨碍教师的创造性，影响教师教学风格的形成。这些问题可能通过课标学习和实践逐步解决，但课标不能解决一切问题。我们需要在课标引领下，转变理念，改进教学行为，不断改革探索，用创造性劳动，建设充分体现本体意义特点的、开放的、丰富的、富有活力的语文课程。

语文教学再"语文"一些

——语文教学改革的突破与平衡

窦桂梅老师的主题教学《亲人》和袁卫星老师的专题式学习《永恒的眷恋》案例，在体现课程改革新理念、开发课程资源、变革教学结构和课堂教学模式等方面作了有益的试验，有了可喜的突破性进展，尤其是充溢着浓郁的人文气息，表现了他们的探索精神和改革的智慧。这两个案例给我们许多有益的启示，也引发了一些新的思考，生出一些值得深入探讨的话题。

一、平衡也是一种突破

课程改革需要突破。停止了突破，就是停止了探索和发展。改革、突破好比是一条路，只有起点，而无终点。在改革、突破前行的路上，还需要回过头来检讨和反思所走过的路，退一步进两步，有时甚至还要回到原点去。回到原点不是简单地回归，更不是倒退，而是在回到原点的过程中产生新的想象，寻求一种平衡，酝酿新的突破。平衡实质上是对事物本质的重新认识和准确把握，"极高明而道中庸"。因此，平衡实际上是改革的深入和突破，是一种高明和境界。的确，课程改革行走在突破与平衡之间，在突破的同时时刻需要把握平衡。

当前，语文教学改革正需要寻求和把握平衡，以求新的突破。这么多年，语文教学改革一路走来，风风雨雨，坎坎坷坷，如今有了一些突破性进展，理念提升了，结构多元了，方式灵活了，人文性加强了，学生开始学得生动了。这些都是了不起的进步，必须坚持下去。但是，在探索的过程中常常发生一些新的情况。我以为当前的语文教学改革，好比是列车，正处在拐弯和爬坡的时候。列车拐弯，驾车人容易迷失方向，也容易被甩出车外，此时需要头脑清醒，把握列车的平衡；列车爬坡的时候，容易止步，也容易倒退，此时需要增强信心和增加能源。语文教学改革中的突破和平衡问题同样摆在我们面前。突破和平衡归结起来就是：语文就是语文，语文教学要再"语文"一些。

二、语文就是语文 —— 工具性与人文性的统一

语文就是语文，强调的是语文的特质和特点，强调要揭示语文这一课程的本质属性。只有把握好语文的特质和特点，语文教学才能坚守语文的课程本位，才能完成语文教学的专务。各类课程也只有把握好自己的特质和特点，在培养目标的统领下，从各自课程标准出发，完成自己的教学专务，才能从不同侧面达到课程改革所规定的目标和要求。

语文就是语文，是一个简单到毋庸置疑的问题，但实际情况并非如此。时下，有的语文课成为文学作品的欣赏和研讨课，语文课窄化为文学课；有的语文课泛化为大文化课，或是成为班队活动、综合实践活动课，以活动和生活中的体验代替了语文的学习；有的语文课安排过多的非语文活动，内容庞杂，形式令人眼花缭乱；有的语文课设置大量的课外内容，课堂成了成果展示厅和资料交流会……语文课已不是真正的语文课，弱化了语文本身的学习，甚至演化为其他学科。"窄"语文、泛语文、非语文的现象虽还不普遍，倘若不及时纠正，就会蔓延和扩展下去，就会影响语文教学改革的健康推进。凡此种种，说明在语文特质、特点的理解和把握上发生了偏差，在改革的过程中走了极端，出现了新的不平衡。语文就是语文，语文教学再"语文"一些，就是强调语文的本质属性的回归，这似乎是一个永远要把握的命题。

关于语文课程的性质，《语文课程标准》作了明确的表述："语文是最重

要的交际工具，是人类文化的重要组成部分。工具性与人文性的统一，是语文课的基本特点。"面对这一明确的表述和规定，为什么有些教师的教学行为还会发生偏离呢？其关键是如何理解"工具性与人文性的统一"。这一表述告诉我们，二者是统一的，是一体化的，而不是二者的相加；可以理解为"没有离开工具性的人文性，也没有离开人文性的工具性"，也可理解为"工具性中的人文，人文性中的工具"。针对长期以来只强调语文工具性，一味强调讲解和训练的现状与弊端，不少教师重视了人文性，这当然是进步。但问题在于：第一，有的把人文性从二者的统一中剥离出来，只重人文性，以人文性引领工具性，忽视甚至在不知不觉中丢弃了工具性；第二，有的片面地把人文性等同于文学性，片面追求语文教学的文学化；第三，有的片面地把语文内涵的丰富性、目标的多维性简单地等同于"生活化"和"活动化"。看来，工具性与人文性的统一，追求的应该是二者的平衡。

三、语文教学再"语文"一些——魂灵、神经、缰绳

对工具性与人文性统一的解读，我以为二者的平衡中有三个关键词：魂灵、神经、缰绳。

魂灵。教育过程首先是一个精神成长的过程，然后才成为科学获知的一部分。和所有教学一样，语文教学是学生精神成长的过程，它必须有自己的魂灵。语文教学的魂灵大而言之指的是语文教学的终极目标，小而言之是课文的思想内容。工具性与人文性的统一是为终极目标的实现服务的。语文教学是要培养学生正确理解和运用祖国语言文字的能力，但是母语及母语的学习必然承载着民族的、历史的、人文的等复合因素，这些都深刻地影响着学生的精神世界和精神发育。因此，从本质上看，现代语文教学不仅要指导学生掌握语文的基础知识和使用技能，而且要在这一过程中培养学生的思想感情、良好的道德品质以及想象力、创造力等；从长远看，语文教学要为学生的人格铺上底色，为提高国民素质、重铸人文精神奠定基础。因此，在正确理解和运用祖国语言文字的目标的背后是精神、人格、素质，失却这一目标，语文教学就丢掉了魂灵，就会退回到改革前的状态。

在讨论语文教学改革平衡的时候，这一魂灵是千万不能弃舍的。在现代化的进程中，经济全球化带来的思想、文化价值观等方面的相互影响和猛烈碰撞日益明显，强势的外来文化影响着母语的话语权、阐释权和诉求权的地位，如不警惕和努力，母语就有"失语"的危险，民族文化、民族精神就有随之而淡忘甚或丧失的可能。语文教学如何从自身的特点和任务出发，加强民族精神的培育，为学生营造充满民族记忆和民族表情的精神家园是一个不容忽视的问题。从这一角度看，窦桂梅老师从亲人切入，跨越家庭、跨越时代、跨越国界、跨越自己，层层推进，理解亲情的无私、无畏和博大，感悟人生和生命，感悟家庭、祖国和世界，这一主题是极有价值的。同样，袁卫星老师围绕"亲情"组成学习专题，并以此为"核"，唤醒人格心灵、培植美好情感，语文教学的魂灵是鲜活的。

值得注意的是，如今的一些语文课，在情感的培养、价值观的引导和学生精神培育上还存在一些问题。一是注重了学生思维的开放与探索的多元，改变过去追求答案的标准化和唯一性的僵化训练，但是缺乏价值观的引导。价值观的形成过程应当是开放的，要有探究和体验，这一过程本身是有价值的，但是经历这一过程的目的应是对文本主旨及价值观认识的加深和超越，而不是只停留在过程中的分散、模糊的状态。二是注重了语言文字的感悟和情感的体验，改变了过去深挖死抠字词的分析，但是对课文内容的理解止于浅表，不能从语言文字中见思想、见精神、见创造，学生缺乏必要的深度体验。如果长此以往，学生思维的敏锐性、深刻性就得不到培养和提高。我们反对过度的分析，但要坚持深度的理解与体验。

语文教学的魂灵应该附"体"，这个"体"就是语言文字。离开语言文字，"魂不附体"，实际上教学就等于失去了魂灵。强调语文教学改革的平衡，要让终极目标在工具性与人文性的统一中彰显。

神经。语文教学之"身"布满着神经。这神经就是文化。冯骥才说，民族文化是民族的一根神经，抽掉这根神经，这个民族就变成了植物人。可见文化尤其是民族文化之重要。语文是人类文化的重要组成部分。说它是文化，第一，它负载着文化；第二，它传承着文化；第三，它本身就是一种文化。当然，说它是文化，还因为它创造和发展着文化，提炼和提升着文化。语文教学改革，就是要充分体现语文的文化属性，完善语文教学目标，丰富语文教学的文化内涵，使学生浸润在文化之中，使文化这根神经活跃起来。神经的活跃，定会使语文教学充满生命的活力。文化不是虚空的，它整合和弥散在工具性与人文性的统一之中，从本质上说，工具性与人文性的统一就是语文文化。

提携文化这根神经，语文教学改革如何突破与平衡呢？

1. 语文应当生活在田野中，但又应超越田野。文化来自丰富的日常生活，离开生活，语文就会失源断流而枯竭，语文教学就会失去魅力而苍白。以往我们把语文当作世界，现在还要把世界当作语文。语文生活在田野中，是说语文教学应当从生活出发，以生活为资源，在生活中进行，丰富学生生活，提高生活质量；语文生活在田野中，是说语文教学本身就是生活，是正在过着的生活。正因为如此，"语文学习的外延和生活外延相等"。袁卫星老师在这方面的探索是有益的，试验是有效的。《永恒的眷恋》的教学设计、教学流程构造和布局的基本理念就是向生活开放：引导学生走向生活，生活回归课堂，引领学生在生活中学习，在学习中体味生活。实践证明，学科教学跨出了教室，就走向了生活，走向了综合。语文生活在田野中，才能保持语文教学的清新、开放、多元、真实、丰富和生动。但是，语文又改造、提炼着日常生活的文化，而不应是生活的克隆和翻版，其间有辨别、有选择、有矫正、有改造、有提升。此外，在重视和生活结合的同时，千万不要忽视语文本身的课堂生活，课堂生活直接影响着学生的兴趣和情感。《永恒的眷恋》中的制作电子贺卡、制作"电视散文"起着概括和提升生活的作用。语文走向生活，并不意味着生活等同语文。从这一角度看，我以为语文教学"生活化"的命题是欠妥的。也许是出于对"生活化"的认识，一些语文教学与生活相结合，但实际上只有生活而无语文，以生活取代了语文。语文与生活的结合应求得文化上的平衡。

2. 语文要活在学生的对话和体验中，但不能丢弃文本的阅读。课程应该是文化，但稍不注意课程就可能变成工具，其关键是以何种方式运作。告诉、灌输、一味地训练，课程就会演变成工具，反之，对话、体验、探究，学生主动地以各种方式学习，课程就回到了文化的位置。语文更是如此。但是，目前我们对对话和体验的理解、把握、运用，还处在浅表层次，停留在对形式的追求上。其实，对话和体验既是一种课程文化，又是学习、激活文化的手段。比如对话，应发生在人与文本之间。对话要以文本为基础，目的是为了更深入地理解文本，这就需要把对话与文本阅读结合起来，阅读是一种"聚会"，是作者被读者相约或召唤入场，读者与作者对话，理解文本，在理解文本中生成意义，而且生成新的意义。这样对话在文本阅读中获得文化。比如体验，是有一定的规定性的。体验的方式是很个性化的，应有一个过程，并获得一系列可记忆的内容。因此，要注重体验的内容、深度、场合和品位以及体验后自我总结时教师的概括与指点，不少教师已注重了学生语文学习的体验，但在把握上还有一些值得注意的问题，尤其是常常习惯性地丢开文本，离开文本的主旨和语境，体验成了想怎样就怎样的个人的自由活动，久而久之可能在破除教材是"圣经"观念的同时，走到不尊重文本，不凭借文本，不求深刻，不求扎实的另一个极端。

3. 语文课应是预设和生成的结合，求生成，不要否定预设。2004年《人民教育》第6期以"语文教学，追求什么样的精彩"为主题，组织了一场由《无法预约的精彩》引起的讨论，其中有周益民老师精彩的案例和论述。这一讨论的价值是多方面的，其中之一是指向语文课的预设和生成问题。长期以来，语文课只注重预设，几乎没有生成的概念和意识，既妨碍了学生创新精神的培养，也影响了教师智慧的生成和教学风格的形成，同时使语文课处于封闭状态。课改以后，语文课的生成已成了大家共同的追求，课堂更为丰富和精彩，但是与此同时，教学的进程和教学任务的完成都遇到了新的问题，有的教师颇感困惑，甚至莫衷一是。其实，预设和生成是课程的两个基本特性，各有各的优势和不足，缺一不可。二者的配合，才是好的语文课。预设体现了教学的目的性和计划性，是教学进程的基本保证，但是，预设是为了生成（为预设而预设，语文课将变成僵化的模式），是为了创新，是为了学生的发展。同时，生成可以是偶发事物的智慧处理，但绝不要误认为生成是随意的，生成既在偶然中又在必然中。由此看来，精彩是可以预设的，实际上真正的精彩应是预设和生成的平衡。学生的文化和智慧就在预设和生成中获得、积累、发展和丰富。《亲人》案例中这种精彩多处可见。

缰绳。王尚文先生说，语文要培养和增强学生的语文意识，要"紧紧抓住'语文'的缰绳"，语文要走在语文的路上。"如果语文教学不能紧紧抓住'语文'的缰绳，着力于养成学生的语文意识，牢牢抓住提高语文能力这一根本目标，语文课程必将走向自我消亡的悬崖。"[①] 可以说，抓住缰绳才会使语文教学更"语文"一些。实事求是地说，《亲人》和《永恒的眷恋》在这方面都还需要加强。

魂灵、神经、缰绳是一个整体，统一在语言文字中。这样，语文教学改革的突破和平衡，才是有方向的、有文化的、有活力的、有效的，语文才是语文，语文教学才可能更"语文"一些。

---

① 王尚文：《紧紧抓住"语文"的缰绳》，《中国教育报》2004 年 7 月 8 日。

语文教学应当有更高的追求

——语文本色的坚持与追问

有学者对"语文课是什么""什么是真正的语文课"进行了深入的研究，鲜明地提出"语文本色"和"本色语文"的重要命题，让大家眼睛一亮，有恍然大悟之感。这一命题对语文教学改革有着重要的持续的指导作用。语文本色应当坚持。

但是，问题的讨论似乎还应再深一步。比如，语文本色的深刻意蕴和真正价值到底是什么；比如，语文本色纠正语文教学中的错位、越位，还有没有一个上位的问题，即什么才是语文教学中居主导地位的问题；等等。语文教学应有更高的追求，否则课程改革、语文教学改革的目的与目标难以实现和达到。语文本色有再追问的必要。

一、价值和意义的深度开发：语文本色的坚持

对一个命题的坚持，十分重要的是对命题本身的准确理解和阐释，尤其是对命题价值和意义的深度开发和把握。我们之所以坚持本色语文的命题，是因为本色语文揭示了语文教学的本质意义——生活的意蕴，进而把语文教学提升到人自身解放的哲学高度来审视和对待。这位学者说，"平凡、真实、快乐地生活正是人们对自身解放的吁求"。基于这样的思考与认识，才有了语文本色回归的真诚呼唤："让我们平淡地、简单地、扎实地、轻松地教语

文。"显然，哲学思考是语文本色这一命题的基石，追求生活的意义与人自身解放是语文本色之魂，是语文本色的深刻意蕴与核心价值之所在。因此，语文本色绝不是一个单纯的教学要求问题，也绝不是一个教学方式问题，更不是一个教学技术问题。老实说，课程改革到今天，语文教学改革的讨论与实验到今天，我们缺的仍然是理念问题、思想问题，而不仅仅是技术问题、工具问题（尽管教师们对技术操作有着强烈的诉求）。如果漠视语文本色的这一核心理念和价值，使之淡化，甚至搁置起来使之淡出，语文本色极有可能陷入技术和工具化的泥淖，语文教学改革极有可能倒退到课改前的状况。遗憾的是，该学者对此强调不够，也没有作深入的阐释，更未能使这一魂灵统摄语文本色的全过程。这既是遗憾的，更是应高度重视的。

的确，语文教学是一种生活，生活的根本问题是什么呢？"生活的根本问题是生活本意或者说生活本身的目的；生活的本意在于创造幸福生活。"[①]值得注意的是，赵汀阳把生活的本意界定在"幸福"上，而不是"快乐"上。他说："快乐表现为兴奋，而幸福感则是持久的祥和愉快感受。""快乐是消费性的，……与快乐相比，每一种幸福都是非消费性的，它会以纯粹意义的方式被保存积累，会永远成为一个人生活世界中抹不掉的一层意义。"因此，语文课这一特殊意义的生活，我们应坚持对幸福这一纯粹意义的追求，而不仅是快乐。

的确，人（无论是教师还是学生）有自身获得解放的追求。语文教学的根本尺度在于解放教师、解放学生。海德格尔曾经有过精辟的论述，即自身解放的实质是"自由"。他说，"唯自由才能够让一个世界对此起支配作用并且让一个世界世界化"。可见，语文教学关于人自身解放的吁求，在平凡、真实、快乐的背后，应当是人自身的解放而获得语文学习的自由，进而获得生活的自由。我们不妨仿照海德格尔的方式说，唯自由才让语文教学的世界世界化。语文本色不是止于平凡和真实，而应追求教师与学生的解放与自

---

① 赵汀阳：《论可能生活——一种关于幸福和公正的理论》，中国人民大学出版社 2010年版。

由，以求得语文教学的纯粹意义——幸福感。

基于以上的思考，我们要进一步追问的是：究竟是什么阻隔着语文教学中人自身的解放？究竟是什么干扰着语文教学中我们对幸福生活的追求？追问的结果不难彰显语文本色的具体价值与意义。

1. 解蔽：语文教学本身的回归。请原谅，这里和下文我用了一些戏化的概念，因为这些概念确实比较准确。现代社会常常发生遮蔽现象，时尚遮蔽质朴，热闹遮蔽宁静，功利遮蔽纯粹，技术遮蔽理性，等等。我们的语文教学也常常被遮蔽。语文教学改革的使命之一在于解蔽，即消解遮蔽语文本色的幻象，回复语文教学的本来面目。而解蔽，必须寻找被遮蔽的原因。语文教学本色被遮蔽的原因之一是对改革的误读，对语文课程标准的误读。而误读集中在对几个关键词的解读与把握上：综合、拓展、探究、体验、对话、合作、自主。其实，以上关键词及其基本理念，在《基础教育课程改革纲要（试行）》（以下简称"纲要"）和《全日制义务教育语文课程标准（实验稿）》（以下简称"课标"）中作了准确和辩证的解释。进一步学习和领会纲要及课标的精神、要求，仍是语文教学改革的第一要义。可以说，纲要与课标是语文本色的依据。回归本色必须消解被误解的幻象，如综合，以为是丢弃学科的边界，消弭课堂与教学的距离；探究，以为是丢弃接受，以虚假的探究代替自主学习；对话，以为是丢弃意义，遮蔽了尊重与信任。这些误读的幻象必须解蔽。解蔽的结果是语文本真的回归。不难发现，单纯追求快乐的背后隐藏着功利主义的色彩。语文教学不反对功利，因为它有指导学生在实践中运用的工具理性及工具价值，但要坚决拒绝功利主义。当下的语文课堂中功利主义色彩集中体现在应试训练上，同时功利主义也滋生并催化着教学的浮躁心态。值得警惕的是，浮华与浮夸紧紧追随着浮躁。语文本色的呼唤及其认真的实践，提醒并帮助我们力戒浮躁，追求真实、自然、质朴、深刻的语文教学品格，使我们回归语文教学内心的宁静，寻找踏实研究的风格和境界。

2. 祛魅：语文教学科学理性的回归。科学发展史告诉我们，在科学不发达的时代，人们往往误以为风雨雷电等自然现象是妖魔鬼怪所为，是神的力量、上帝的意志。科学的进步使人们用科学理性的目光去重新审察和认识，终于揭开了封建迷信的雾障，寻找到了理性的力量和科学的信心。这就是祛魅。语文本色深层的价值，就在于让第一线的教师们破除了语文教学研究的神秘感，突然发现：啊，语文教学、语文教学研究原来如此简单、朴素！这种祛魅，还把教师改革的激情引向激情与理性的结合。改革缺乏激情，可能会失去动力与丰富的色彩，但改革只停留在激情上，可能会导致短视而不长远，短暂而不持久，肤浅而不深刻。语文本色要求把激情与理性结合起来，甚至更注重理性，更注重科学，以冷静的目光瞭望语文教学改革，以科学的态度探究语文教学改革的真义。当然，这种祛魅，也让校本化研究、草根化研究应运而生。从深处说，语文本色是有其深层意蕴和重要价值的，对语文本色的坚持理所应当，不言而喻。

二、创新理念的坚持与引领：语文本色的更高追求

人对自身解放的呼求，除了平凡、真实、快乐地生活以外，还有什么呢？海德格尔认为，"人的'本质'就是去生存，去存在，去创造更多的可能性"。"只要是人，他就必须超越——除非他不是'人'，除非他已放弃了做人的资格而把自己等同于物、沦落为物。""超越绝不是可有可无的东西。"[①]不难理解，人对自身解放呼求的最高境界应当是，人对自身的超越，此种超越集中在自身可能性的开发，进而去创造上。也不难理解，平淡、简单、扎实、快乐是语文教学一方面的追求，语文教学还应有更高的追求：创新。

大概是我们的注意点过多地置于本色上的缘故，而轻慢了本色语文的上位理念，遗忘了纲要和课标的主导思想。再次阅读纲要与课标竟有一种强烈的新鲜感和兴奋感，一些重要的话语让我们既感亲切又感陌生。新课程要使学生"具有初步的创新精神、实践能力、科学和人文素养"，"课程改革要改变过于强调接受学习、死记硬背、机械训练的现状，倡导学生主动参与、乐于探究、勤于动手，培养学生搜集和处理信息的能力、获取新知识的能力、

---

① 王啸：《教育人学——当代教育学的人学路向》，江苏教育出版社 2003 年版。

分析和解决问题的能力以及交流与合作的能力”，“努力建设开放而有活力的语文课程……拓宽语文学习和运用的领域”，“尊重学生在学习过程中的独特体验”，使学生“具备创新精神”。我不嫌其烦地摘录纲要与课标的话语，无非是要表达我对课程改革、语文教学改革“国家思维”及宗旨的理解。

一言以蔽之，课改的主导思想、核心目标定位在“创新”上。创新精神和实践能力培养是素质教育的重点，鼓励教师创造性教、学生创造性学，当然应该成为语文教学改革的根本指导思想与衡量其成败的尺度。在这更为重要的问题上，语文本色虽有所谈及，但关注不够，突出不够，甚至有淡出改革语境的嫌疑，稍不注意，“本色”可能会遮蔽“创新”。

人们容易忘掉历史。在向着未来前行的时候，我们需要常常回头看看所走过的路程，重温历史，与我们的“前身”作一次对话。课改之前，我国曾有一次语文教学的全国性大讨论，铮铮话语至今还在回响。许纪霖在《我们的教育制度在理论上存在误区》指出，像现在这样一个语文教育，整个破坏了学生对祖国语言和中国文化的兴趣，这是一个比任何事情都要痛心的事。夏中义在《我想做一个尝试》中认为，用一句话来说：把这么一个富有诗性的、情感的、想象的学科，变得工具化、机械化，这对孩子的灵魂的塑造所带来的负面影响不言而喻。杨东平在《语文课：我们失去了什么》中则认为，中学语文教学的种种问题，一言以蔽之，是人文价值、人文底蕴的流失。这些话语，既是对课改前语文教学陈旧现状的揭露和批评，又是对现在“回归”的提醒与警示。如今的语文教学改革正是为了解决这些问题。难道这些问题已解决了？难道改革已改过了头？答案当然是否定的。《中国青年报》引用一位省教研员的话说：与课改前相比，并没有看到什么实质的变化，传统的教育思想和观念只是以更加隐蔽的方式潜藏在课堂教学中。

我们不要忘了一些批评与忠告。美籍政治经济学家龙安志在媒体上援引中国教育部门的一份研究报告称：中国学生的思想和见解是“世界上最短视的”。一位在美国读了 5 年研究生，又在美国的大学里任教 10 年的我国教授说：“从来没听到过现在国内颇为时髦的‘逆向思维’的说法——学生之间乃至师生之间的辩论本来是课堂的正常现象，根本谈不上什么'逆向'。"①在国外，"逆向思维"是课堂教学的应有之义，讨论、辩论、探究已成为一种习惯，不讨论、不辩论、不探究倒是不正常的。可是当下我们的语文课堂呢？探究、体验、合作、独特感受正在有所体现的时候，却有鸣锣收金之势了。真的，我们还做得很不够很不够，不是"收兵"的时候，而是要继续出兵，朝着创新的方向与目标而努力。

我们也不要忘记教育是一把双刃剑的命题，搞不好，教育就会阻滞和压抑教师的创新，进而破坏和伤害学生的创新。这把双刃剑的一面是由功利主义锻造而成。近来，语文教学过于关注教学的技术和操作，而无形中忽视了教育的思想和精神的力量，因而有人认为教育可能是无用的、有害的，用维多利亚时代博学的哲人赫伯特·斯宾塞的话来说："人类盛行这样一种做法，用像给他们的孩子穿衣服的方式来给他们的思想也穿上外衣。"功利化、技术化的结果，"智慧就像一只空手套"②。

经过这样的讨论，我们是否可以作这样的判断：语文的本色应该用创新的思想和理念去照耀、去支撑、去引领，这可能是最为重要的"本色"，最为辉煌的底色和亮色。

三、坚持、鼓励、平衡：语文教学在追求中前行

一些评论、批评常使我们的教师无所适从，"连路都不会走了"。我们不能把问题归因于教师，去无端地批评和指责他们。下面的一段话引自一份权威性的教育报纸："伴着新课程改革的呼声，教师们一方面竭尽全力去追逐设计标新立异的课，喊声一过又恢复原样。因为新课程改革是一个新话题，教师们一方面又不得不作无奈状，即无法割舍传统，又无力期待未来，既不想放弃，又懒得探索一条新路。更有甚者，不顾教学实际，只以求新求变为

---

① 孙惠柱：《创新："对话文化"挑战"独白文化"》，新浪博客：http://blog.sina.com.cn/s/blog_631fa7ef0100t7kd.html。
②［美］丹尼尔·科顿姆著，仇蓓玲、卫鑫译：《教育为何是无用的》，江苏人民出版社2005年版。

能事，他们在离经叛道之后，却又不知不觉地陷入新的'经''道'之中，在用'新布裹旧脚'的过程中充当以传统反传统的角色，他们忽略了对教学艺术的发问，最终仅仅充当了一个粗劣的表演家而已。"我们不得不追问："它说的是真的吗？""真"有两种含义，一是它反映了某种客观存在的经验事实，一是它本身也是理性判断、推理、归纳的结果。追问的结果只能是：它不是真的，是虚假的。对教师的这种评价既不公正，也很不公平。从这段话中我们看到的恰恰是某些权威极尽炫耀之能事，懒得去深入调查，追逐评论话语的新异，用"极端的声音"制造刺激，以"深刻"的名义"扮酷"，与课程改革和教师的专业发展何其不相容！教师是课程改革的主力军和生力军，语文教学改革的重担最终落在他们的肩头。他们怀揣着理想，燃烧着激情，正迈着新的步伐，追逐着闪亮的北斗，在"森林"中摸索着前进，创造语文教学美好的未来。正是在这点上，本色语文的立场让我们钦佩。

高悬于天的创新之星，不断地照耀着语文教学的前程。我们一次又一次讨论，归结起来始终是一个问题：我们需要怎样的语文教育。只不过今天讨论的不同之处在于明确语文教学改革的主旋律。我以为，在创新这一主导思想的指引下，语文教学改革的路径，一要坚持，二要鼓励，三要寻求平衡。

一要坚持，即坚持纲要和课标所倡导的、所强调的。如前所述，纲要和课标倡导什么、强调什么，已十分明确。其中，尤为重要的，我以为是教师教学方式和学生学习方式的改革。一提改革，总认为是否定、排斥，废除一个方面。实质上这是一种两分法、非此即彼的思维方式。倡导开放、探究，并不否定讲授与接受。问题还在于，当下，开放式、创造性的教学方式，探究、体验式的学习方式还只是开始，产生一些偏颇与偏激的做法是很正常的，绝不能刚刚抬起脚又马上缩回。还是让脚踩下去吧，试一试，在试验中再作调整，这样才能不断向前。因噎废食的结果只能是因饥饿而衰弱，以至死亡。上海的二期课改，语文学科正在寻求突破，而突破点包括教学方式和学习方式，语文教研员步根海认为：在内容要求上，将语文教育的要求分解为语言素养的培养和文化品位的提高两大方面；要求教学方式从过去的静态分析为主，转变到动态的、以学生体验为主上来。大家认为，体验首先要给予学生空间和时间，调动他们的已有知识来体验和感悟，到一定阶段形成一定的思辨，然后用语言文字表达出来。华东师范大学第二附属中学将一组教材设计为前课文、主课文、后课文，对应于学生的学习行为，就是前学习、主学习、后学习，其中后课文学习，"是让学生尝试解决新语境的新问题，调用主课文学习认知来解决新问题，由此同化、强化前一认知而体验到语文学习的有用性"。改革的方向已定，只要坚持创新，在坚持中调整，就会迈向新的境地。

二要鼓励，即鼓励教师大胆去创造。教学过程、教学行为必须规范，但良好的规范应解决两个问题，一是规范来自哪里。如果规范只是来自领导的要求、制度的规定，这种规范的动力不足，水平不高，也不能持久。良好的规范应来自自己内心的需求，来自自身实践体验后的总结。应当让教师在教学改革中去创造教学的规则，形成规范。二是规范为了什么。规范不是为了制约人、管住人的，良好的规范要为解放人服务，让教师去创造，这是规范存在的前提与价值。我们需要对教师进行合理合适的批评，但不要指责；需要对教师的教学进行规范，但不要约束；需要对教师的教学指出问题，但更要鼓励和提醒。我以为，当下的语文教学改革当务之急，是在提醒的同时，鼓励教师大胆地去创造。这里有一个基本的潜在假设，那就是课程改革后的今天，教师的精神状态、试验水平、研究方式已发生了很大变化，只要有合理的政策与制度，有扎实的培训与指导，他们会在改革中创造出经验来。

三要寻求平衡，即处理好各种关系。极高明而道中庸，执其两端而用之。我国传统文化中的中庸之道，实质是寻求平衡与和谐。突破是一种改革，平衡则是另一种改革。语文教学改革当然也要寻求平衡。寻求平衡的实质在于找到事物之间的逻辑关系，形成合理的良好结构，结构化的事物才会产生内在性的发展力量。比如，人文性与工具性的关系。王尚文有一段十分精辟的论述：语文不能没有人文，而人文原本就在语文之中。他认为，人文首先存在于读写听说的动机中，只要存在追求真善美的动机，就有人文的存在。其次，言语通过其组织形式渗透出观点、思想比言语本身讲述的客观内容重要得多，这就是言语的人文之所在。因此，言语的组织形式反映了言语者或者说作者的人文思想。传统与现代的关系也正是这样。传统文化作为知识体系来说，有的可能已过时了，但它包含的智慧可以是永恒的。要站在现代的立场上，给传统以新的解释，赋予其新的价值。上海博物馆馆长陈燮君在《幸会经典感悟经典》中说：传统并不拒绝时尚，传统是当时的时尚，传统又在延续中整合着时尚，并积淀着新的时尚。说得具体点，语文本色中的平淡，应与深刻相平衡。语文教学不能没有思想，不能没有思想的深刻性。"思想是有意义的命题。"我们可以把帕斯卡尔的话改变一下，语文教学的全部尊严和它的全部的优异在于思想。简单应与丰富相平衡。语文教学绝不是简单地做减法或加法，而在于开发语文教学丰富的内涵，该减就减，该加就加。扎实与灵活相平衡。扎实不意味着"不活"，灵活也不意味着"不实"。只有灵活还不够，只有扎实而缺乏灵性也不行。语文教师的改革，其中包括改革中的平衡与平衡中的改革。

我们期待着，语文本色在坚持与追问中有更高的追求。

精彩观念：语言文字里长出灵魂

美国著名的教学论专家爱莉诺·达克沃斯认为，教学的根本任务不是传授知识，也不是培养能力，而是让学生诞生精彩的观念。她还认为，精彩的观念是智力的核心。

我并不以为达克沃斯的观念有什么偏颇，相反，十分赞同。其实，精彩观念的形成需要知识，需要能力，尤其需要批判性思维能力，抑或说，精彩的观念就是一种批判性思维能力。而这，正是当下讨论的热门话题：学生发展核心素养。

语文教学呢？当然亦应持守这样的理念，在重视语言文字运用的同时，更应重视让学生运用语言文字表达自己的观念，在语言文字里长出灵魂来，让精彩的观念照亮语文教学的课堂。

在阅读中，有两个故事撞击着我的心灵，非常想与各位语文教师分享。

一是关于伦敦街头投票箱的故事。摄政公园遇到一点麻烦：游客数量急剧下降，原因是有些游客乱扔烟头和嚼过的口香糖，影响了其他游客的兴致。在紧急商量以后，公园想到了一些办法：在公园的长廊中放置精美的方桶型箱子，箱子中有两个漏斗，箱体上写着："谁是世界上最好的足球员？C罗还是梅西？你手里的烟头就是选票，投上一票吧！"当游客走累了，坐在凉亭下想小憩一会儿的时候，发现柱子上挂着一块板，上面是一个窄窄的屏幕，屏幕上还有一行字："知道我们每年用多少钱去清理粘在街道上的口香糖吗？把口香糖粘上去就可以看到答案了。"游客好奇地将口香糖粘到板上时，屏幕上出现了答案：5600万镑！当下一个人将口香糖粘到板上时，屏幕上又会出现另一个问题："每年丢在伦敦街道上的口香糖重量有6吨，等于8个红色电话亭那么重！粘上口香糖就可以看到图像了。"可想而知，公园里的游客一定有增无减，而且伦敦市政府也仿效起来，在人口密集的地方放置了这种投票箱，成了一道独特的风景线。

绝妙！这是什么？这就是精彩的观念，精彩的观念一定会有创新的行动，而创意一定会带来新的发展。语文教学，如果不引导学生运用语言文字表达自己的见解，表述自己的想法，这些语言文字又有什么价值呢？要让语言文字里长出灵魂来。

另一个故事就是"让石头长出人的灵魂"。写的是伟大雕塑家罗丹的故事。不说大家熟知的"思想者"和"巴尔扎克"，说说"加莱义民"吧。加莱市政当局向罗丹订制一座加莱义民的雕像，他们需要一个大无畏的英雄。但罗丹却塑造了6个普通人的群像，他们自愿牺牲走向敌营时，有悲愤、有纠结、有不舍、有不平静。他们不是高高在上的享受敬仰的英雄，而是脚踩在大地上的活生生的人。当然，结局是市政当局拒绝了，因为他们难以接受。但是，历史没有拒绝，这一群雕像在艺术史上熠熠闪光，在当今时代仍然放出异样的光彩。罗丹，让石头长出了人的灵魂，闪耀人性的光芒，让人们获得前行的力量。

至此，应当领悟到何为"精彩的观念"了。是的，语文教学关注并臻于这一境界，应当叫作语文教育了。语文教学不让学生诞生出精彩的观念，不让语言文字里长出灵魂来，还叫什么语文教育呢？还算得上什么语文教学改革呢？真的，还是达克沃斯说得精彩。

华文教育的文化责任与改革走向

纵观华文教学的现状和研究走向，我们应该深刻思考一个重要的话题：华文教育的根本究竟在哪里？面对经济全球化、文化多元化，在全面深入改革开放的今天，我们在华文教育中应当担当什么样的责任？又如何把握华文教育的改革走向，使华文教育走向世界？

一、华文教育的责任担当

华文教育是一种文化责任担当，其责任源自华文教育的文化价值与时代使命。华文是我们的母语载体，其本身就是文化，华文教育的存在与发展影响着甚至决定着我们民族的文化品格和精神气质。中央电视台一档普通的节目《中国汉字听写大会》，竟如此火爆，引发了海内外华人的极大兴趣和关注，引起了几百家媒体的高度聚焦，汉字听写、汉字书写成了当时最热的词之一。这是为什么？答案是不言而喻的，那就是汉字是中华文化的符号，汉字中蕴藏着中华民族的文化基因，重视汉字书写，与自己的母语更亲近，是一种普遍的文化认同。而且，汉字听写带来的文化认同也应对着汉字教育、母语教育当前所遇到的两难境遇：英语教育不断加强，母语教育正面临着新的挑战；各种现代信息技术进入生活以及新媒体的出现，提笔忘字几成一种普遍现象，"将来我们认识的字越来越多，但会写的字却越来越少"的预言完全有可能成为现实。这一现象的严重之处，在于母语教育的弱化，这种弱化会带来文化身份的悄然弱化。若此，在全球化的今天，极有可能淡化文化责任，甚至会迷失文化方向，伤害我们的民族文化性格与精神气质。

但是，我们坚信，汉字、华文、母语具有强大的生命力，问题在于我们的自信，以及同时提升自觉。余光中先生在《听听那冷雨》里这么吟咏："杏花、春雨、江南，六个方块字，或许那些土地就在那里面。而无论赤县也好，神州也好，中国也好，变来变去，只要仓颉的灵感不灭，美丽的中文不老，那形象那磁石一般的向心力当必然长存。"听写大会的学术讲解人蒙曼教授说：汉字听写大会在提升全社会对汉字的重视程度的同时，让汉字教育重回家庭，重回课堂，成就一代代不仅能敲击键盘，也会挥笔泼墨，不仅有科学精神，也有人文理念的中国君子，真正做到书写的文明传递，民族的未雨绸缪。这就是"根本"，这就是"从根本做起"，这就是语文教师、所有教师，也是所有华人关于"根本"的责任担当。

哲学家海德格尔对于语言有个相当深刻的比喻和论述："语言是存在的家。"他说："人这个存在者正是以说话的方式揭示世界也揭示自己。"在作了一般意义的阐释后，他又郑重地补充："如果人通过他的语言居于在的宣告和召唤中，那么，我们欧洲人和东方人也许居于完全不同的家中。"汉字、华文、母语是我们存在的家，有了家，我们才是真正的"在者"——真正的中国人。珍爱并加强汉字、华文、母语教育，正是珍爱并建设中华民族文化的行动，正是珍爱并建设中华民族文化大家庭的文化自觉。这个家庭里产生的是一种力量，这种力量被称为文化软实力。文化软实力，是我们建设教育现代化，实现具有中国特色社会主义必不可少的力量，中国力量当然包括文化软实力，中国道路的铺设，当然离不开文化软实力的支持。从这一深层次意义看，加强汉字、华文、母语教育，培育与发展的是一种文化软实力，让世界看到中国的软实力；同时，也让世界上所有的华人，在汉字、华文、母语中凝聚在一起，发挥文化软实力的更大影响。显然，这是一种"根本"，这是"从根本做起"，是我们关于"根本"的责任担当。

联合国教科文组织在讨论用什么来定义发展的时候，最终的共识是：用文化来定义发展。用文化来定义发展，不仅指文化是发展的力量，而且指文化是发展的方式，更为重要的是文化建设本身就意味着发展。加强汉字、华文、母语教育，加强的是中华文化的建设，不仅推动着华文教育的发展与深入，推动着语文教育的改革与发展，而且标志着整个教育的发展。母语教育的繁荣，语文教育的繁荣，中华文化的繁荣，是语文教育、华文教育改革的最高境界。

综上所述，"从根本做起"，即从加强汉字、华文、母语教育这一根本任务做起。对此，我们应当有更准确的认识和更自觉的责任担当。

二、华文教育应坚持和倡导和而不同的文化气象

我们可以先概略地呈现几位教师的课堂教学，从中可以领略不同国家和地区华文教育的不同做法及其所彰显的不同教学特色和教学风格。

江苏省无锡市东林小学的丁建红教的是《水乡歌》，体现了三个鲜明的特点：让孩子们在快乐中学语文，在情境中学语文，在创造中学语文。在快乐中学语文，儿童学习是快乐的，才能真正体会到华文是可以带给我们快乐的；在情境中学语文，母语的知识与意义镶嵌在生动、丰富的情境中，儿童才能感受到母语是美丽的，学习是有趣、有效的；在创造中学语文，让孩子仿照课文的表达方式创作一首自己的"水乡歌"，儿童才能体验到母语学习可以使自己更聪明起来。特别有意思的是丁老师让孩子们用无锡方言说一段话，读一段课文，其用意是让孩子们知道华文的方言是丰富多彩的，在保护华文的同时要保护方言，保护方言就是保护中华民族文化的多样性。

台湾地区的李玉贵老师，是一个优秀的学者，但她坚持在小学教华文。李老师有一个重要的教育理念：不要把看起来简单的文本看简单。确实如此，她教《北极熊学游泳》，把短文中所蕴含的丰富、深刻的意义教了出来。概括起来，李老师的课代表着台湾地区语文教育的风格：文本的细读、深耕。她着重讲北极熊和小海豹之间的关系，接着又讲北极熊、海豹和冰山的关系，然后讲到这一切与我们的关系。一篇小小的文章，在孩子们面前展现的是一个生态文明的世界，让孩子们从中初步体验如何建构生态文明系统。与此同时，从头至尾，所有儿童都在她的教育视野里，在她的心里。她

关注后排、角落的学生，尤其关注不发言的学生，用各种方式鼓励、激励学生大胆发言。她关注和研究的课堂是学生的学，真实的学、真正的学。在李老师的华文阅读课上，文本中的意义开掘、儿童为主体的理念得到了真正的落实。

香港地区的张董女老师专门研究文学，有很好的文学修养，还有很好的课程论、教学论的基础。她教的是莫泊桑的著名小说《项链》（节选）。她的这堂华文阅读课是在探索、建构一种新的华文教学样式，即把小说改编成一个剧本，而改编、排练、演出的过程都以学生为主。学生担任编剧、导演，设计分镜头，他们同时还是演员和评鉴者。在整个过程中，学生真切地投入到小说人物的内心，投入到小说规定的情境中。他们分析多种角色，描摹、表现、揣度人物的心理状态，评鉴贯穿其中。张老师的这堂课背后有一个重要的理论支撑：活动教学理论。但她不是为活动而活动，而是在活动中，在学生的积极参与中，加强价值澄清和价值引领。

来自新加坡的黄黛箐老师作了题为"新加坡小学华文阅读教学与品德教育"的报告。郭月卿老师上了五年级的阅读课《红头巾》。《红头巾》写的是一些家境贫寒的女子，为了赚钱养家，十几岁就从中国来到新加坡，从事各种行业。在建筑工地上，头上戴着红色的头巾。

新加坡把"红头巾"称为建设国家的英雄，"我们应该把她们的贡献记在心里，并让她们的故事继续流传下去"。她教这样的内容，首先表达了对中国人民的尊重。这堂课还在探索一种新的教学模式：协作教学。她采用小组合作学习的方式，边教学边训练，在让学生理解课文的同时学会协作学习的方法，尤其把握进行小组学习的规则，让每个学生都有任务、都有责任。她呈现的理念是：今天学会合作，明天才会拥有竞争力。

以上四节课、一个报告，让我们初识了不同国家和地区小学华文教育的新探索、新进展和新经验，也呈现了不同国家、不同地区华文教育的不同风格，可以说气象万千。新加坡的华文教育有三个重要的特点：第一，十分重视和强化品德教育，把品德教育渗透在华文教育的全过程中，使其不断得到凸显。第二，华文教育有宏大的教育理念的支撑：思考型学校，少教多学，以学生为核心，以价值为导向。第三，重视并倡导协作学习，加强小组合作学习的建构。他们所努力的一切，有一个重要的前提：让作为第二语言的华文教育首先引起学生学习的兴趣。

与台湾、香港地区相比较，我们的语文课更注重设计，更注重严谨与细致，基础知识、基础能力的教学更扎实、更到位，更讲究教学语言的规范与品位。台湾、香港地区的教师教学更自在、更放松，更注重课程资源的开发，与儿童生活的联系更自然。此外，他们还十分重视教学方式与学习方式的变革。不同的做法，不同的风格，形成了华文教育的和而不同，显现了华文教育的多姿多彩。我们应加强交流、沟通和研究，保持和发扬各自的优势，吸收对方的优点，共同为华文教育的繁荣担当起光荣的责任，让汉字、华文、母语教育气象万千。

三、华文教育改革的走向

我们的责任还在于研究、把握华文教育改革的走向。把握改革的走向，我们才能主动地站到改革的前头去，这是最根本的坚守。改革的走向表现在以下几个方面：

1. 汉字教学要走向汉字教育。汉字教学是华文教学的基础，是华文教学须臾不可轻慢的任务。但是，汉字教学不只是识字、写字，不只是一种技能性、记忆性的任务。如前所述，一个汉字就是一个世界，教汉字就是重温中华民族的历史，彰显中华民族的优秀文化。让汉字走进学生的生活，意味着中华民族文化进入学生的文化血脉。所以，汉字教学应当走向汉字教育，这是中华民族文化教育的重要内容和形式。

2. 华文教育无论在什么情况下都要坚持文以载道。语文的特质在于语言文字及其背后的意义，语文教学的独当之任是帮助学生学习语言文字，并学以致用，这是毋庸置疑的。值得注意的是，汉字、华文有一个重要的特性：工具性中蕴含着人文性、思想性，人文性、思想性自然渗透在工具性中，文以载道是中国语文，即华文教育的独特之处。文与道是"一张皮"，不可偏离，更不可分离。问题是，我们在教学中往往自觉或不自觉地把它们分割开了，重视的是知识、技能，忽略了人文性、思想性教育。立德树人，既是华文教育的题中应有之义，又是时代的要求，这应当是华文教育必须坚守的方向，必须完成的根本任务。

3. 华文教育必须培养学生热爱母语的兴趣，必须十分注重学习习惯、学习方法的培养。无锡的丁建红老师、台湾地区的李玉贵老师都十分重视对学生学习兴趣的培养和学习积极性的调动，而且把阅读教学作为一个全面的训练过程。培养学生良好的学习态度、学习习惯，培养学生正确的、科学的学习方法，提倡学生独立阅读、写作的能力，是华文教育的宝贵传统和经验，应当坚持，在任何时候都要认真、严格地遵守。态度、习惯、方法、能力可以使学生终身受用。

4. 华文教育要适应世界教学改革的潮流。一是要坚持让学生学会学，以学生学会学为核心，与此同时，坚持教师高水平的教，以高水平的教促进学生高质量的学，建立一个完整的教学概念。二是要坚持教学过程就是儿童研究的过程，把华文教学与儿童研究统一起来，真正深入地研究儿童，研究儿童是怎么学华文的。只有这样，华文教育才能走向深入，走向世界。

在比较中发现和借鉴
——东南亚小学华文阅读教学研讨会的一个视角

2006年3月，江苏省首届东南亚小学华文阅读教学研讨会在无锡市举行。来自新加坡、泰国和中国台湾地区的华文教师，与无锡市的小学语文教师一起，以教课、讲座以及讨论的方式，交流了东南亚地区小学华文阅读教学的情况与经验。与会教师对此次研讨会比较一致的评价是：有意思。"有意思"的内涵是很丰富，其中重要的一层含义应当是：有意义。的确，这是一个有意思且很有意义的交流、研讨活动，对我们有不少启发。

一、华文阅读教学研讨：一种立场、态度和研究的方式

华文不仅是中华民族文化的载体，而且其本身就是中华民族文化。用余光中先生的话来说：中国文化是一个大圆，而中文是其半径，半径愈大则圆周愈大，我们要努力把中文学好，让这半径变得更长，使中国文化走得更远。民族文化又自然联结着民族的精神和故乡的情怀。余秋雨先生说，中国文化流传千年，汉字功不可没，"我至今读孔子的书，就像读乡下爷爷的来信"。读乡下爷爷的来信，其意读中华民族的优秀文化，那么古朴、久远，又是那么淳厚、深邃；读乡下爷爷的来信，就是和民族文化对话，在对话中感受，在对话与感受中滋生、发育民族精神和爱国的情怀。东南亚的华人会聚一起，就华文阅读教学进行交流和研讨，为中华民族优秀文化的继承和弘

扬提供了机会和平台，其意义和价值已超越了研讨会本身。而这一意义和价值随着经济全球化进程的加快，显得更为突出和重要。

全球化不是一个同质化的过程，有全球化，必然存在地方化和民族化，正如美国波士顿大学社会学家彼德·伯格书的书名一样：《多种多样的全球化》。但是，值得注意的是，当下的全球化正形成西方话语的优势和西方文化的霸权，民族文化面临着严峻的挑战。于漪老师说，民族文化对外是道屏障，对内则是一种粘合剂。坚守民族文化的独特地位与价值，增强民族文化认同是全球化进程中的重大命题。今天，我们进行跨地区、跨国界的华文教学研讨，其实质是在表明一种鲜明的态度和立场：通过华文教学的加强，弘扬中华民族优秀文化，增强民族文化认同感，增强民族的自尊心和自豪感。另一方面，母语，包括华文，是人类先进文化和文明的组成部分，母语教育包括华文教学，在增强民族文化认同感的同时，向世界敞开自己民族的胸怀，为人类的共同进步作出自己的贡献。因此，华文教学研讨，也表现了一种民族文化的自信，以及推进经济全球化、推进人类文化发展的一种宽阔的胸襟。可见，华文教学研讨的意义是深刻的，也是深远的。

东南亚地区华文教学研讨活动，又体现了教育的一种开放和进步，以及科学研究方式的丰富。经济的开放带动了教育的开放，教育的开放必须有课程和教学的开放。母语因受其语音的限制，开放往往受到了影响。但是，在华人地区以及使用华文的地区，这种限制不应人为放大，相反是进行华文课程教学研究的优势所在。此次东南亚华文阅读教学研讨正是开发和利用了这一优势，开阔了视野，交流了信息，似乎在眼前打开了另一扇窗户，它生动地告诉我们，不仅仅要用中国的眼光看世界，而且要用世界的眼光看中国。其实，这同时是一种研究的方式——比较研究。何为比较？比较是视角的转换，比较也是一种瞭望，当然，比较也应是一种研究。视角的转换，实质上是换一种眼光，换一种思维，换一种方式；教育教学的瞭望，实质上是抬高自己的视点，观其整体，审视其结构，目光因此而宏大，评价因此而客观；比较研究，就是在比较中研究，在研究中比较，在认同中认异，进而吸收和改进，扬长和避短，提高研究的水平和质量。此届研讨会推动了小学华文阅读教学的比较研究，通过比较研究，更准确地把握华文阅读教学的特质，把握共性的倾向性的问题，进而把握一些基本规律，显然，研讨会的价值不可低估。

二、华文阅读教学的共同追求：理念、人文性与教学设计

比较是为了认识和发现，既认识和发现别人，也要深入地认识和发现自己；既要发现差异，也要发现共同的追求和特点；而这一切都是为了把握发展的规律和走向。综合此届研讨会的所有信息，通过比较，我以为可以形成一个基本判断：我国江苏、台湾地区与新加坡、泰国在华文阅读中有着共同的追求，呈现着一些相似的特点。

1. 教育理念的趋近。

上课和作讲座的教师都拥有并充分地体现了一个共同的基本理念：一切为了学生的发展。新加坡的陈丽湘老师坚守两条教学宣言："爱是最佳良方，烦是老化毒药；不当永远的老师时，要当永远的学生。"她还认为，传统的教学方法依然具有存在的价值，最为关键的是，在进行教学时，教师对学生的理解、关怀、尊重、鼓励才是教学成功的最大动力，因此，"教学不等于教书"。"教学不等于教书"这一否定句式，给我们留下了丰富的想象空间，隐含着极深刻的意蕴。台湾地区的苏兰老师说："我并不是在'教'孩子，而是与孩子们'共学'；我并不以为自己只是'施者'，更是'受'者。"她的课堂有这么一个细节：每一个学生胸前都有一张小卡片，上书自己的姓名，俨然是贵宾。苏老师请同学发言，能非常迅速地、准确而又亲切地叫出学生的名字，他们像是相处了很长时间的老朋友。姓名与"你""他"是同义的，但是在这样特定的情境里，却是不等值的。学生的感受肯定和被呼作人称代词"你、他"时的感受完全不同，因为其中蕴含着对学生的尊重。教育理念绝不只是一句口号，而应是一个个具体的行为和细节。值得注意的是，课程改革后的今天，祖国大陆老师的教育理念已发生了极大的转变，理念的提升逐步成为课改的最高境界。在无锡韩文利和乔炜老师的教学设计方案及其课堂里，我们看到的、感受到的是学生成了课堂的主人。乔炜老师《槐乡五

月》的教学过程的设计是：聊聊槐乡话题、整体感受槐乡之美、欣赏表达槐乡之美、自主创作槐乡之美……每一个教学环节，学生都是教学的"主体"，学生是教学的主线，学生成了课堂的中心，当然教师并没有被边缘化，而是组织着、引导着、支撑着、服务着、推进着学生的学习。理念教育的共同追求，也预示着华文教学改革的共同走向：让学生在主动积极的学习中提高华文素养，为中华民族的振兴培养杰出的人才打好基础。

2. 对人文性开掘和精神价值提升的重视。

研讨会的 6 节观摩课尽管课文内容不同、教学风格迥异、教学方法也各有千秋，但都有一个共同诉求：开掘课文的人文资料，提升华文教育的精神价值。这是难能可贵的。这不仅因为语文应是工具性与人文性的统一，还因为华文本身就蕴含着极丰富的人文资源，更因为当下重视思想、情感、态度、价值观教育有其特殊的意义：韩文利老师的《秦兵马俑》，让学生在阅读、比较、交流中感受了秦兵马俑的宏大规模、众多类型和各异神态，感受了兵马俑特有的气势，感悟了中华民族历史的悠久、文化的灿烂和古代劳动人民的智慧，学生的民族自豪感油然而生。乔炜老师教《槐乡五月》，没有仅停留在爱家乡的层面上，而是让学生品味槐花的美与香，进而把"飘香的季节"自然推向"孩子的季节"的想象与理解，把自然界的美与孩子爱美的心灵联结在一起。这样，热爱家乡的情感融化在家乡的美丽之中。重视语言文字的训练固然重要，但凭借语言文字感动学生的心灵、陶冶他们的情操更重要，也只有这样，字词才会活，语句才会活，文章内蕴的意义才会被开发出来。华文教学的价值思想是形而上的，它指向人，指向人的情感和精神，华文教学需要这种形而上的东西，我们的教师正为此而努力。

值得关注的还有两点。一是新加坡的黄黛菁老师教二年级的新加坡教材《我们住下来吧》，不仅让无锡的孩子了解了新加坡这个花园国家，而且引导学生由课文中新加坡的名胜拓展到无锡的景点与名胜，通过学生的创意作品，把无锡美丽的景色和特点展现出来，让孩子爱自己的家乡。爱不是狭隘的，爱家乡、爱祖国、爱人类应当是华文教学永恒的主题、永恒的追求。二是苏兰老师进行了新课型《苏兰老师读电影》的试验，把《微笑的鱼》《乌龟也会飞》《最后的猎人》三部电影组成一堂"读电影"课，通过画面的观察、声音的倾听、音乐的欣赏、颜色的感受、细节的剖析、文字的比较、情节发展的想象，把主题设定在人文精神的培育上：内心的感动、生态的理解、世界的关注、文化的浸润。整堂课充溢着浓浓的人文气息，意义的溪水流动着。电影触动神经，触摸心灵，启迪思想，听课者和学生一起在"读"，而且"读懂了"。

语文教学的目的之一，是要为学生构筑精神高地，提升学生的精神价值，锻造学生的精神世界。当然，这一切都必须在语言文字的字里行间悄然进行。此届研讨会，我们又一次领悟了这一价值思想，也预测华文阅读教学将沿着这一价值轨迹不断向前。

3. 教学设计与情境创设研究的加强。

荷兰数学教育家弗赖登塔尔曾对情境有一个精辟的阐释："情境是利用一个熟悉的参考物，帮助学习者将一个要探究的概念与熟悉的经验联系起来，引导他们利用这些经验来解释、说明，形成自己的科学知识。"情境关乎概念、经验与参考物联系，它最终关乎人的主体、科学知识的建构以及概念的意义。此届研讨会，观摩教学的课堂里，教师们都在根据课文的内容，从学生的经验和教学的需要出发，创设不同的教学情境。如果说，无锡的乃至中国大陆的其他教师们对情境创设的研究与实践进入比较早的话，那么，我国台湾地区和新加坡、泰国的教师们同样在用心寻找和设计，而且呈现着一些特点。

泰国华侨崇圣大学中文系系主任庄贻麟教授为大家上了《天地——沙鸥》一课。她认为情境创设是教学设计的重要内容，情境创设离不开教学设计。她说：教学设计的重心是把握学生的能力、需求和兴趣，语文教学设计的重大任务有三：认知、技能和情意；教学设计形式宜多元化，在不同体裁和教学内容的讨论细节中，需有别出心裁的设计空间；教学设计是教学的备忘录。

新加坡运用两种教学方法，改进教学过程，调动学生的主体精神，在理论的支撑下展开教学设计。一是种子教学法。"种子教学法是一种以学生为中心，互动性强的教学方法。"用形象的话来说，即把问题以及其他具有挑战性的信息抛给学生，像是把种子播撒在课堂里。种子在适当的条件下会发芽，挑战性的信息亦会激起学生的兴趣与思考，转化为学生自己的知识、经验与情感。二是故事线教学法。故事线教学法要求学生在学年一开始就分组，组成一个个虚拟家庭，设计不同的家庭成员。不同的家庭对课文的理解有不同的视角和重点，有不同的见解和感受，不同的家庭演绎着不同的故事，因而课文学习显得丰富多彩，生动活泼。

三、差异：可供借鉴和开发的资源

来自不同地区和国家的华文教学既有共同的追求，呈现一些共同的特点，又存在着明显的差异，呈现着不同的风格。这也是一个基本判断。我试着把中国大陆、台湾地区与新加坡、泰国的华文教学的不同特点作一比较。

无锡乃至江苏的小学语文教学在全国是有代表性的。我以为，中国大陆的小学语文教学有较为深厚的根基和积淀，形成了优良的传统。基础教育课程改革纲要和语文课程标准的实验，进一步推动了语文教学改革，涌现了一大批潜心研究和实验的教师，有不少教师形成了自己的教学主张和教学风格，在研究和实验中颇有建树，带动了整个语文教学改革，整体水平又有了新的提升。从整体上来看，中国大陆的小语教学有以下五个特点：①更注重文本内涵的开发，更关注文本的深度和教学的深度。教师善于钻研教材，反复研究和推敲，对课文的思想内容把握得较准，开掘得较深，充分发挥了文本的作用。②更注重教学过程的完整、规范和严谨。教学前有较为完备的备课制度，重视课前的教学设计，对教学过程中的环节、过渡、衔接、铺陈、展开，设计得比较细致和周密，精细化的程度较高。③更关注语言文字的学习和训练。我们历来重视基础知识和基本技能的训练，关注关键性的词语的理解，凭借语言文字进行思想的渗透、品德的培养、情感的激发，教学基础比较扎实。④更关注学科的边界。"语文就是语文，语文教学再语文一些"，强调的是语文本学科的性质、特点和任务。课改以来，开始注意学科间的联系和知识的整合，学科的边界有所开放，但仍坚守学科的本位和强调综合的合理与适度。⑤更注重教师自身的素养及其作用。我们的小学语文教师讲究教师的仪表、教态、语言和基本功，课改以来，研究意识、创造意识进一步增强，教师在"主导"上作了很多有益的探索。

从苏兰老师的课堂教学和有关资料来看，有以下一些特点：①更关注阅读的宏观背景，视野比较开阔，开发课程资源的意识强，教学内容丰富，课堂的开放度比较大。与此相联系的是提倡广义的阅读、各种方式的阅读，"读电影"就是其中一个类型。②更关注能力的培养。近几年我国台湾地区的中小学流行一个理念：给学生带得走的能力，不给学生背不动的书包。能力培养中把思维能力放在核心位置，鼓励学生有创意、有见解。③更关注传统文化与时代要求的结合。苏老师语文教学中处处可见对中华民族传统文化的珍视，但也时时可感受到时代的元素与多元的色彩。二者联结的方式往往在内容的拓展和开放性资源的综合上。④更关注教师的自主权。尤其是教师有较大的教材的选择权，因而给教师留下了较大的开发和创生教材的空间，由此带来教材的多样化和丰富性，更具校本和师本的特点。

新加坡和泰国的3位教师的教学观摩课和讲座，让我们对两个国家的华文教学有了一个大体的了解：①更注重华文教学的宏观背景。华文在这两个国家为非第一语言，学生学习华文有陌生感和畏难情绪，学生的基础薄弱、程度低。因此，华文教学首先要从这一客观实际出发，营造愉快的教学心境和生动的教学情境，激发学生的学习兴趣和欲望。"快乐是种子教学最好的土壤"，已成为他们的主张。②更注重学科边界的消弭。为了激发学生的学习兴趣，必然要选择与学生生活贴近的内容，因此逐步冲破了语文学科的边界，吸收和选择更广阔的内容，同时注重阅读教学的拓展和延伸，课堂显得比较开放，因而开阔。③更注重学习活动的设计和组织。强调教学中的活动，强调师生间和学生间的互动，同时开设了阅读延伸活动课等新课型，让学生在了解课文内容、掌握词语的前提下开展各种活动。他们的追求是：会动的阅读课。④新加坡更注重用多元智能理论指导阅读教学，把课文内容与多元智能对应起来组织教学活动。

以上比较只是初步的。但初步的比较中，看出了在华文教学中的差异，因为，在阐述某一方面优点和特点的同时，实际上暗含着缺陷与不足。正如文章开始所说，研讨会是有意思、有意义的，我个人以为对祖国大陆小学语文教学最重要的启示是：我们应该更开放些，放开些，特别是在坚守规范、严谨、精致的同时，鼓励教师大胆探索，创新教学过程，课堂有更多更有效的生成，形成各种特点和风格，让语文、让语文教学向学生敞开更丰富的内容、更大的可能性，因此而生长智慧。

语文的世界眼光

所谓语文的「世界眼光」，

说到底是语文教师的「世界眼光」，

而「世界眼光」的生成，

既在于胸怀，也在于方式。

开启语文"世界的眼光"

　　不是赶时髦，2012 年莫言获诺贝尔文学奖，我写了他对语文教学的建议；今年，爱丽丝·门罗获诺贝尔文学奖，我又想写她对语文教学的启发。文学总是与语文教学有着不可分离的关联，从文学的角度看语文教学总会有精彩的发现。何况，语文教材是以文学作品为主的呢！如果说这是时髦，我倒愿意在每一年的诺贝尔文学奖公布时都写一点获奖者对语文教学的价值启示。

　　门罗对小说有一个独特的阐释。她说：小说不像一条道路，它更像一座房子。你走进里面，待一小会儿，这边走走，那里转转，观察房间和走廊间的关联，然后再望向窗外，看看从这个角度看，外面的世界发生了什么。如果把语文，把每一篇课文也看作一座房子呢？当然是可以的。房子并不重要，重要的是这座房子里一切东西的关联，更为重要的是从房子里的窗户看到外面的世界。于是，不难理解，语文教学的目的，不仅仅在于认识这座房子，其更高境界是透过窗户看外面更大的世界。

　　审视一下当今的语文教学，美中不足的是，只是让学生在这座房间里反复地转来转去，目光总是不愿意透过窗户，去瞭望外面的大千世界，显得拘泥、固守，因而常有让人厌烦以至窒息的感觉。往深处思考，是我们没有给房子装上窗户，抑或说我们没有引导学生去发现窗户。丰富的世界本是语文的原义和特质，也是语文的源泉和应有的追求，逼仄的语文空间，丧失了语文的魅力，遮蔽了语文"世界的眼睛"，隔绝了语文与世界的关联，这是十分恐怖的事情。开阔自己的视野吧！叶圣陶早就说过，课文无非是个例子，何必如此地圈于一个狭小的空间呢？为什么不在语文这座房子里打开一扇又一扇的窗户呢？连获得建筑界最高奖的王澍都说，造一间房子就是造一个世界；连英格兰的足球教练都说，要知道在足球世界以外还有一个更大的世界。没有这宏大的视野，门罗的短篇小说，只能是"短"，只能是"小"，而不会达到以小见大，尺幅之内气象万千的境界。

其实，所谓语文"世界的眼光"，说到底是语文教师的"世界的眼光"，而"世界的眼光"的生成，既在于胸怀，也在于方式。门罗说：我想让读者感受到的惊人之处，不是'发生了什么'，而是发生的方式。同样，语文教学不只是让学生知道课文里写了一些什么，更重要的是知道作者表达的方式；不只是引导学生关注内容，更重要的是引导学生以一种合适的方式去寻找和发现。方式是一把钥匙，可以打开"世界的眼光"。有人形容读门罗作品的感受：跟随她散步，起初一切都是散漫的，目的不明。但是，忽然，那吸引人的一刻来临了，一切都不同了。当然，语文教学不能散漫，不能目的不明，但是，以散步的方式去领略呢？也许，"世界的眼光"就在散步时的那一刻被发现、被开启了。

莫言获奖：语文教学的好建议

一

莫言获奖，具有潜在的丰富的教育学价值，这些价值可归结为：对教育改革，尤其是对语文教学改革来说，是一个极好的建议。

"高粱红了，莫言获诺贝尔文学奖了"，这一话题讨论的热潮几近过去。值得注意的是，以往的讨论，基本上发生在文学界，谈及的主要是莫言获奖的文学价值及诺奖评选的转向问题，而很少谈及其教育学价值，我们能不能适当转换一下视角，关注一下它对教育改革的潜在影响呢？开发它的教育学价值，有可能推动教育教学改革，尤其是有可能推动语文教学改革吗？——我想，莫言获奖也是具有潜在的教育学价值的，而且是丰富的，进而将其转化为对教育教学改革、尤其是语文教学改革的一种动因，是完全有可能的。

在关注莫言获奖的文学价值时，我以为众多的评说中，龙应台的评述应当引起我们的深思。她说："诺贝尔文学奖是一个好的阅读建议。"[①]确实是一个极有见地、极富内涵的好建议。不过，"阅读建议"不能囿于文学范畴，也不能囿于广泛意义上的阅读范畴，而应扩展到教育教学领域。这种扩展似

---

① 夏辰：《诺贝尔文学奖是一个好的阅读建议——专访龙应台》，《南方周末》2012 年 10 月 18 日。

乎应当归结为：莫言获奖，对教育教学改革是一个好的建议，尤其是对语文教学改革是一个极好的建议。

所谓好的建议，内容还是比较丰富的，而且"建议"这一用语还会引起我们许多想象。首先是对教育教学改革的建议，可以有以下一些解读。

其一，从目的来看，讨论莫言获奖，不在于刻意追求有更多的诺奖得主，而在于以此为建议，推动素质教育的深入实施。毫不讳言，有更多的中国人获诺奖是一件好事，让现在的中小学生将来获诺奖也应是一种美好的"中国梦"。但是，我们应当清醒，这不是我们全部的目的，更不是唯一的目的。我们的目的，恰恰在于迈过这一平台，以莫言获奖为契机，增强我们的文化自觉和文化自信，培养学生的国际视野和世界情怀，让学生有更远大的理想和抱负。基于此，进一步把握世界教育改革的走向，并与国际教育教学改革产生互动，在互动中互相趋近。其实，莫言获奖已经引起了我们如此的想象，这正是一种极好的启发和建议。这样，可以让我们的素质教育有更高的立意，有更大的追求；这样，素质教育的深入实施才会真正坚定起来、深入下去，而杰出人才的涌现必然是水到渠成的事。其二，从学科的视野看，我们并不局限于诺奖所评选的学科，而在于以此为建议，推动中小学所有学科的建设，把《基础教育课程改革纲要（试行）》的理念、目标、要求落到实处。一个人的成才，包括诺奖得主的成功，往往是因为他们有完整的、合理的、优化的素质结构和丰富的知识背景、深厚的文化积淀，莫言正是这样。而素质结构需要完善的课程结构来支撑。当下的课程改革正是基于这种理念，从课程功能、课程结构、课程内容、课程实施、课程评价、课程管理等方面作出了整体设计。当课程结构合理、完善，所有学科建设得以全面加强的时候，杰出人才的涌现是有可能的。莫言获奖深藏着这样的建议。其三，从改革的方法来看，我们并不在于让学生重演莫言过去的生活经历，而在于用科学的方法，把握教育的规律，促进学生的健康成长。学生发展，杰出人才的涌现是有其客观规律的，也是有科学的方法的。建议，正是对教育规律和人才成长规律的科学把握，它是一种文化的方式。这一文化的方式，倡导的和运用的是吸引人的方式而非强制方式，是激发主体性的方式而非被动的规定的方式。建议，更多的是启发、暗示、鼓励，科学地开发，积极地引导。莫言成人成才过程中，潜藏着诸如此类的"建议"方式。莫言获奖及其讨论，可以促使教育方式转变，有利于寻找和把握科学育人规律。

莫言获奖对语文教学的建议。同样，对语文教学的建议也是有多层含义的。一是语文教学改革必须与旧理念、旧习惯"断气"，才可能有真正的改革和根本性变化。有学者曾这么评述批判性的课程文化：一些教师和学生"没有批判思考或领会行动的经验，没有用以想象这一课程概念的语言，没有把改造课堂放到议事日程上，形象地说，'旧习惯难以断气'"①。课改以来，语文教学改革取得了长足的进展和较为明显的进步，但毋庸讳言，当下语文教学改革仍然存在着不少令人焦虑以至忧虑的问题，不少"顽疾"一时难以"断气"，它们仍然顽固地存在着。莫言恰恰是个旧习惯、旧方式的叛逆者，有时他用脱离的方式来表达他的抵抗，他的创作中隐藏着许多语文教学成功的密码。对这些密码的开发，我们的语文教学定会有不少新的发现，产生方向性、价值性引领的建议。二是莫言获奖可以从另一专业背景、用另一个不同的视角来反思语文教学。不少人，也包括我自己，曾主张让"圈外人"来谈语文教学改革，其理由是，"圈外人"会"跳出语文"来看语文，会更客观、更理性，也会看得更清，事实证明，听取不同的声音是极有必要的。显然，莫言是个"圈外人"，而且这位"圈外人"有着独特性，有人说他是"位于边缘为边缘人物并进行边缘写作"。②莫言的"边缘性"，不仅因其关注平民，而且因他既是本土的又是世界的；其边缘性更具开拓性和创造性。莫言对语文教学改革的建议定会是独特的，极富见地的，会为我们打开另一扇窗，让我们呼吸到一股清新的空气。除以上两点，最为重要的是，莫言这位曾经的"语文人"——学过语文、创造语文的人，本身就是语文的一种范式，他的语文经历会提示语文教学改革的路径。这当然是一个极妙的建议。"莫言获

---

① ［美］帕梅拉·博洛廷·约瑟夫等著，余强译：《课程文化》，浙江教育出版社 2008 版。
② 许金龙：《始自于边缘的呼唤——大江健三郎评说莫言》，陈众议：《世界文学视野中的莫言》，《文汇报》2012 年 10 月 16 日。

奖，对语文教学是一个好的建议"，这一命题很有意思，充满意义空间和思想张力，我们应当去开掘它。

二

莫言的成长故事中，隐藏着许多教语文、学语文的秘诀，虽未点明，却很实在。这些故事像一组透镜，折射出鲜明的思想，折射出对学语文以至教语文的见解，这些对语文教学改革恰是一个好的建议。

建议之一——坚守心中有人，而且从"贴着人"到"盯着人"：这永远是语文教学的核心目的，也是成功的关键。

莫言曾经在一次演讲中归纳道，"说了半天，想来想去，'写什么'的问题，归结到最终，就是把人当人来写"。确实，莫言每次创作，总是从他记忆的仓库里去寻找那些在头脑里生活了几十年、至今仍然难以忘却的人物和形象，由这些人物和形象把故事带进作品结构中去。事实证明，这样的写作观念，让莫言的作品不断获得成功。基于以上的认识和体验，莫言甚至认为，假若没有完成文学写人这个最根本的任务，就只能算是二流作家。

我们完全可以作一次迁移：文学创作如此，语文教学亦应如此——语文教学心中一定要有人，而且要贴着人，而且要从贴着人到盯着人。文学是人学，教育学也应是人学，语文教学呢？在语言文学的背后是人，是人让语言文学有了思想，是人让语言文学有了生命。总之，语文教学是离不开人的，人永远是语文教学的核心目的，离开人的语文教学不是真正的语文教学，甚至称不上语文教学。在这一点上，莫言确实为语文教学成功的根本原因给出了提示。

所谓语文教学要贴着人、紧盯着人，可以归结为两个方面：一方面，语文教学是为了人的，是为了学生发展的，尤其是为了激发学生心灵的正能量的。用高尔基关于文学的话来说，语文教学也应当帮助人了解他自己；提高人的信心，激发他追求真理的要求；在灵魂中唤起羞耻、愤怒和英勇，和卑俗作斗争，并想尽办法使人变得高尚有力，使他能够以神圣的美的精神鼓舞自己的生活。在价值虚无、工具主义、技术主义蔓延的今天，语文教学之于人的精神性价值要求特别重要。莫言是在提醒我们：语文是工具性与人文性的统一，是学生学会语言文字的实践性很强的学科，精神性、思想性、审美性等因素固然要在语言文字的学习中进行，但这不意味着让这些人文性的内涵和要求被语言文字所淹没，也不意味着被工具性所绑架。假若，语言文字的学习应用，只是工具性的彰显，而缺少人，缺少人文性价值，尤其是精神性价值，只剩下语言文字，只剩下听说读写，不见人，不见学生的精神活动，人缺场了，精神性价值缺席了，那么就不是真正的语文教学，它违背了语文课程标准的本义，其结果，语文大厦可能发生价值失落以至价值坍塌。

另一方面，语文教学要让学生学会语文，让学生的语文学习看得见。可以说，语文教学有一个问题至今都没有真正解决，即学生学会语文。学生究竟是怎么学语文的，我们不甚了了，若明若暗，所谓的"明"，也只是凭想象、凭过往的经验，因而，语文教学只能在混沌中前行，结果只能低效。这种"离开人"的教学现象较为普遍存在的一个原因，仍然是为了所谓的语文任务，而忽略人的学习过程、学习方法、学习品质以及各自的学习风格。比如，开展一次活动，是为了积累写作文的素材，学生的情趣和独特体验全然不顾，乃至荡然无存，语文实践成了痛苦的负担。学生是怎么学语文的，把学生的主体性、学习的主动性、创造性凸显出来，这样的语文教学才有人的存在，语文学习才是看得见的，语文才是真正的、鲜活的，有生命的。

建议之二——扎根泥土，在田野坚守与瞭望，从本土走向世界：语文教学应当有这样的乡土情怀和开阔的眼界与胸怀。

瑞典皇家科学院诺贝尔奖评审委员会给出的莫言的获奖理由是：中国作家莫言"用魔幻现实主义融合了民间故事、历史和当代社会"。"魔幻现实主义"可有许多解读。不过，我们更关注的是莫言的乡土情怀：泥土、田野、民间、百姓、社会、生活……这些构成了莫言生命中不可或缺的部分，正是乡土给了他灵魂深处最宝贵的底色和"元气"。他把乡土当作奔流不息的创作之河，他在创作《檀香刑》时说：我要有意识地大踏步撤退，撤退到民间，"把庙堂雅言、用眼睛阅读的小说拉回到小说的原本的母体模样，还原成用俗语俚曲说唱式的、大庭广众用耳朵听的艺术"①。但是，莫言不只是囿于乡土，他又瞭望和走向世界。他曾说："我的作品是中国文学也是世界文学的一部分，我的文学表现了中国人民的生活，表现了中国独特的文化和风情，同时我的小说也描写了广泛意义上的人。"②我们完全应该说：世界文学视野有莫言，莫言在世界文学视野中。

倾情倾心于乡土，又从乡土出发走向世界，在乡土之上瞭望世界，把乡土植入世界文化，是因为乡土文化、民间文化、民族文化对于自己和本土以及对于世界、对于人类都相当重要。黑格尔说，历史的演进有一个重要的基础，这个基础就是地理，民族精神的许多可能性从中诞生、蔓延出来。同时他又说，地理并不是历史和民族精神的唯一基础，爱奥尼亚明媚的天空固然大大地有助于《荷马史诗》的优美程度，但是这个明媚的天空绝不是单独产生荷马。③关于乡土、民间和世界的关系还涉及对"传统"的理解。"传统的存在本身就决定了人们要改变它们……当一项传统处于一种新的境况时，人们便可以感受到原先隐藏着的新的可能性。"④乡土也同样处于一种新的境界，乡土再也不是传统意义上的画地为牢，再也不能把门关上，而是以乡土为魂，以乡土为根，以乡土为基点，向着世界、向着人类出发。文学创作如此，语文教学也应该如此。

就此，莫言向我们发出了建议。一是语文教学的关注点、兴奋点。语文应当有一双张望世界的眼睛，这双眼睛带来语文宽广的眼界，造就语文博大的胸怀；但，语文的这双眼睛是在本土生成的，它首先张望的是生于斯、长于斯的乡土，怀揣着乡情和诗性，才会走得远，才会永远记住自己是中国人。在教学中，多多关注语文的本土眼睛吧。二是语文应当有个性化的校本教材抑或补充读物。课改以来，教师已开始成为教材的创生者，问题是创生什么样的校本教材。南京市琅琊路小学语文特级教师周益民在深度研究的基

---

① 齐林泉：《莫言：站在人的立场写作》，《中国教育报》2012年10月13日。
② 同上。
③ 范勇：《中国人的文化性格》，中央编译出版社2010年版。
④［美］爱德华·希尔斯著，傅铿、吕乐译：《论传统》，上海人民出版社2009年版。

础上，创编并教授童谣、民谣、谚语、谜语、绕口令、民间故事、古代神话，以及南京本土和民间文学，他把这些称之为"回到话语之乡"①去，显然，这是值得肯定和提倡的。我们是不是也可以做这方面的尝试，让学生从创编的乡土语文中闻到故乡的味道？三是创造语文实践活动，把乡土和世界结合起来。诺贝尔文学奖评选后有一个传统的活动：得主在领奖典礼的第二天，即 12 月 11 日，都会到一所叫林克比的学校去。这是一所平民学校，学生来自世界不同的地方，这个学校里最多的时候可以听到 93 种不同的语言。每年诺奖名单公布后，老师会帮助孩子们找这位作者的生平资料，了解他的作品，然后用各人的母语来念给这位来访的诺奖得主听。这个场景让不止让一个获奖者当场流下眼泪。这样的语文学习活动极富创造性，乡土与世界的结合多巧妙。我们不必仿照，但应得到启发，并努力去创造。

建议之三——想象力是作家的法宝，也应是学生发展的"第三种力量"：语文教学要突破"想象要合理"的桎梏，走出一片新天地。

莫言为什么受到诺奖评委会的青睐？最重要的是他的想象力。评论家和学者们认为，莫言的想象力非常丰富，迸发出来非常大气，充满澎湃的激情。20 世纪 80 年代，世界上各种现代文学流派涌入中国，包括福克纳和马尔克斯，但莫言"逃离"了他们，因为他要自我超越。他自我超越的力量来自想象力。而他的想象力来自现实、来自生活、来自中国的民间传统，包括他称之为"蒲爷爷"的蒲松龄，也包括自己的爷爷。莫言观看爷爷割麦子，边看边欣赏边想象，他觉得爷爷把干活上升到了劳动美学的高度。此后，这位仁慈的神奇的老者让他在自己故乡的大地上，张开了想象的翅膀。说"莫言的想象力通行全世界"是不过分的，是恰如其分的。

想象是人的，尤其是儿童发展的"第三种力量"。知识的、身体的力量让人生长起来，成熟起来，壮大起来，但人要走得更远，飞得更高，更有创造性，抑或说变得更神奇，还需要想象力。雨果说，想象本身就是深度，没有一种精神机能能像想象那样深化自己，同时深入到对方心灵中去。雨果还

---

① 周益民：《回到话语之乡去——周益民的"另类课堂"》，上海教育出版社 2012 年版。

用了一个比喻：想象是一个伟大的潜水者。爱因斯坦等科学家也对想象作过许多精彩的比喻和深刻的阐释。无须多讨论，儿童的发展的确需要获取这"第三种力量"。语文呢？语文学习同样需要培养学生的想象力。一个个文字犹如一组组音符，一则则故事犹如一只只翅膀，一篇篇文本犹如一扇扇窗户，因为文字、故事、文本的背后隐藏的是思想、智慧，轻慢、忽略、丢弃思想、情感、智慧，语言文字只会沦为工具，它是干瘪的、枯涩的、苍白的，而躲藏在语言文字背后的思想、智慧等，都要学生去揣摩和想象，唯此，音符才能飞扬，翅膀才能跃空，窗户才能洞开，语文教学才可能是一座花园。

事实并不令人满意。在一次作文教学讨论会上，当谈到想象的时候，一些特级教师十分强调想象要合理，理由是不合理想象会失缺依据，成为乱想瞎想。我不以为然，长期以来，想象要合理几乎成了一条绳索，捆绑了学生的思想，使他们不能充分想象，不能尽情在想象的天空里遨游，渐渐地想象的翅膀软弱无力，再也不敢、再也不能更大胆地飞翔，这样作文很可能变得平庸。况且，什么叫合理？合理的标准是什么？合理的边界是相当模糊的，可以说见仁见智，怎么"合理"把握？倘若把"合理想象"作为一条标准，中国学生的想象力一定折翅落后，折翅的想象力把中国带往何处啊！这，不是危言耸听。

建议之四——做一个有故事的、会讲故事的、能创造故事的人：聊故事应当成为语文教学的一种方式，让师生在故事中站立起来。

莫言在获奖后的演讲题目是"讲故事的人"。他的演讲通过电视、广播、网络传播开以后，在海内外迅速引发了评论热潮，赞叹精彩者有之，为之感动泪下者有之，嘀咕"像中学生写作文"者亦有之。在国际讲坛上，在诺奖舞台上能讲故事吗？讲故事是"像中学生写作文"吗？这的确是个值得讨论的问题。我认为故事是伟大的。故事是人们的生活，是人们生活的一种方式，讲故事亦是研究的一种方式。作家讲故事，他的作品中才会有"人"，才会有情有趣；学者讲故事，他们才会把深刻的学理化为贴着群众的话语，在隐喻中透射出哲思。国际讲坛上，讲故事已不鲜见，政治家、经济学家、哲学家、社会学家，都会讲故事，侃侃而谈中风趣与见解、主张共同生长起来。这次莫言的演讲是用讲故事的方式给世界送去了中国声音、中国文化，传递了中国的文化方式和文化自信。往学理上去说，讲故事并非纯粹的感情，"语言是人类理性的第一个产物，……在古希腊语和拉丁语中，语言和理性是用一个字来表示的……唯有透过语言的助力，理性才完成它最重要的功能"①。因此，讲故事并非肤浅、平庸，看似感性，感性中有着理性，或曰，讲故事是用感性的方式来表达理性，它是美的。

似乎不用作过多的讨论，无论从哪个角度看，语文教学应该是而且是可以讲故事的。用讲故事来看待语文世界，进而来看自己的心灵世界，语文世界才是真切的，自己的心与世界也才能得到安顿。讲故事成为语文的一种方式是理所当然的。如是，我们应当进行以下一些尝试。

在故事中聊生活。莫言上到小学五年级以后就辍学，劳动、参军；后来虽然上大学及研究生班，用他的话来说，也只是为"涂金"。是什么让他的人生如此丰满，让他的文学创作如此成功？是生活。学生的成长需要教育，没有学校教育人不能真正成熟，我们坚决反对"去学校""去教育"的言论，问题是学生需要什么样的教育，包括需要什么样的语文教育。显然，教育，语文教育不能离开生活，语文与生活的外延相等，生活永远是语文的主语。我没有深究过语文与生活能不能"零距离"的问题，但坚信一点：语文在生活中，舍此，还有什么鲜活的语文，还有什么良好的丰富的语文素养？许许多多的故事，潜伏着许许多多这方面的元素，去讲讲这些故事，学生会领悟到什么是语文，什么是有意义的人生。这样，语文就成了生命的泉眼。

在故事中聊儿童。儿童就是一个个故事，童年是由一个个故事编织成的。儿童就在故事中，儿童是故事的叙述者，也是故事的创编者。语文，在某些时候，在深层的意义上，在方法论的层面上，我以为就是在讲故事、听故事、创生故事、讨论故事。就在这种情境下，书本中的儿童走了出来，与

---

① ［德］叔本华著，李成铭等译：《叔本华人生哲学》，九州出版社 2003 年版。

教室里的儿童相遇，此时，教师也成了儿童。"三个儿童"在语文课上相会，这是多么精彩的时刻呀！就在相遇中，真正的语文学习开始了。我们常说对儿童既熟悉又陌生，有时熟悉有时陌生，其原因是我们在故事中，即在儿童的生活中与他们邀约、相会、对话。

在故事中聊童年。童年应当快乐，快乐应当是童年的主旋律，这是毋庸置疑的。但是，莫言的童年却不快乐、不幸福，拣煤核、吃煤核，童年的主题是饥饿。他在多篇散文和演讲中，都提到过"一天能吃上一顿饺子"的故事。莫言的童年告诉我们，童年是个完整的概念，童年有可能是甜美的糖果，也可能是苦涩的药丸；童年有快乐，也有苦恼，有笑也有泪，有顺利也有挫折，有成功也有失败，这是真真切切的童年。关键在于怎么让苦恼、挫折、失败、痛苦转化为快乐、顺利、成功、幸福，莫言这么写道："当别人家的孩子在学校读书时，我就在田野里与牛为伴……我仰面朝天躺在草地上，看着天上的白云缓慢地移动，好像它们是一些懒洋洋的大汉。我想跟白云说话，白云不理我……我想与鸟儿们交流，但是它们也很忙，不理睬我。我躺在草地上，心中充满了悲伤的感情。在这样的环境里，我首先学会了想入非非……我躺在草地上理解了什么叫爱情，也理解了什么叫善良。然后我学会了自言自语。那时候我真是才华横溢、出口成章、滔滔不绝，而且合辙押韵。"① 不要生活在空想的童年生活里，童年才是真实的，才会有真正的童年。

在故事中聊语言文字。毕竟是语文，不能离开语言文字的学习运用。故事是由文字按情节有序组成的，文字闪着思想的亮光。讲故事应当引导儿童关注、揣摩、品味、领悟词语的表达、句子的妙趣、写法的特点，等等。把语言文学的学习运用渗透在故事中，亦即渗透在生活中、渗透在情境中。这样语言文字就会活起来，成为孩子喜欢的东西，进入孩子的心灵。

总之，教师应当是一个和故事打交道的人，故事成了语文教学的一种方式。

---

① 叶开：《高粱地里，莫言这样走来》，《文汇报》2012 年 10 月 20 日。

三

莫言，只是对语文教学"提出"建议的诸多人中的一个，其他还有很多。比如，获得建筑界普利兹克奖的王澍，他常说的是：造一座房子就是创造一个世界，我首先是文人，然后才是建筑设计师，不要问我们建什么房子最重要，首先要问的是什么最有生活的情趣。还有吴冠中、季羡林、沈从文等等。他们都对语文教学"提出"改革的建议。语文，怎么办？

语文要主动邀请其他学科一起探讨，如哲学、社会学、伦理学、经济学、人类学、美学……它们都会从不同的角度提示语文教学改革的要义和路径。只局限于语文，语文可能是狭隘的。

语文要敏锐。要敏锐地观察、寻找、发现，从生活中，从乡土中，从民间文学中，从世界多元文化中。语文的元素、语文的智慧、教育的真谛隐藏在那里，等待我们去开发。

语文要善于转换。要善于把各种建议，根据语文学科的特质和学生的需要加以梳理，择其善者而取之，采取措施，促使建议转化为语文教学行为。

也许，这是语文教学的"静悄悄的革命"。

也许，新的语文教学将会冒出希望的绿芽。

谢谢"莫言们"。

放大眼孔读书，站稳脚跟做人

一、让阅读意义的阐释"击中"自己的内心

阅读的意义似乎无须多加讨论。其实，对阅读的意义和价值，不是所有教师都能深刻认识的，更不是所有教师都能坚定认同的。问题在哪里？原因很多，其中一个原因常常会被忽略，那就是对阅读意义、价值的阐释。倘若，对阅读意义、价值阐释得好，尤其是能"阐释"到教师心里去，"击中"教师内心的那个结，"击中"教师的"深度自然"——内心深处的需求和潜在的创造性，也许能让教师更加积极主动、更加自觉地阅读起来。

有三种说法"击中"了我。一是美国作家马克·吐温所说的：一个有阅读能力的人不读书，他就是一个文盲。这是对文盲的新定义，它更有时代色彩，也更深刻。教师无疑是一个有很强阅读能力的人，但是如果不阅读，准确地说，只阅读教科书、教辅材料，只阅读时尚杂志以及早报、晚报，而不读经典，那么，渐渐地，他会成为一个文盲，至少是一个潜在的文盲，而文盲不可能是个教师，更不可能成为优秀教师。如何从浅阅读走向深阅读？这是一个亟待研究改进的问题。二是一位英国诗人说的。他说，如果将我关在一间房子里一年，给我一部电影，或者一本书，我将做怎样的选择呢？我会选择一本书。因为只看一部电影，一年后我出来时已经发疯了，而一本书会让我变成另一个人——书是可以改变人的。遗憾的是，当下，不少教师往往

只选择电影、电视，文本的阅读渐渐淡出了教师的生活。从追求感官的阅读走向心灵的阅读，同样是一个亟待研究、改进的问题。

最能"击中"我心灵深处的，是一位奶奶级的妇女说的：读书就是睁开眼睛做梦。做梦，表明人要有梦想，要有理想的追求。但是，怎样做梦呢？读书，让我们"白日做梦"，这样的梦做得更理性、更清醒、更切近自己，让梦想、理想看得见、看得清，当然也会看得更远。反过来说，不读书，只会在睡中做梦而不会睁开双眼做梦，准确地说，他其实不会做梦。他没有梦，没有理想的光照，没有对未来的追求，定会茫然、困惑、迷乱，这样的人生有什么意义？抑或说，这样的人不会创造人生的意义，相反会破坏人生的意义。

二、让人在阅读过程中站立起来

阅读究竟为了什么？吕叔湘先生说："放大眼孔读书，站稳脚跟做人。"怎样才能做人？做什么样的人？做人与读书有着怎样的内在关联？我深以为，放大眼孔读书的人，才能站稳脚跟做人，那是因为，读书让他有了做人的底气、立人的力量、成人的灵魂。眼孔放大的人，明事理，会判断，善选择，心里明亮，用行动去演绎书中的道理，追寻真理和光明。不言而喻，读书与做人紧密相连。

教师通过读书能成为什么样的人？首先成为一个真正的知识分子。教师是知识分子吗？不一定。因为，知识、知识的多少，不是衡量知识分子的主要标准，更不是根本标准。主要标准、根本标准不是知识，而是社会的良知，是跨学科、跨专业的视野，更开阔、更宏大的关心，是批判的勇气和能力。值得注意的是，如今的知识分子（至少一部分知识分子）正在"弱智"化。他们"弱"的不是知识，"弱"的正是社会的责任感和批判的精神。面对应试教育的日愈公开化，面对应试教育残忍地吞噬着学生的身体、心灵，疯狂地伤害着民族的未来，我们的良知在哪里？读书，让我们看到理想的闪耀，听到理想的召唤；读书，让我们明晰教育的理想，坚定教育的信念，做一个真正的知识分子。

其次，通过读书会让教师成为一个有道德的人。赫尔巴特说，道德是人类社会的最高目的，当然也应该是教育的最高目的。国无德不行，人无德不立。核心价值观就是德，既是个人之小德，也是社会、国家之大德；培育和践行核心价值观，就是给自己扣好人生的扣子。道德是在实践中培育和显现的，但读书可以让我们知道何为道德，以及道德何为，人的道德成长需要道德认知。比如，亚米契斯的《爱的教育》，生活中的点点滴滴都闪烁着爱的光芒，处处闻到爱的味道。读这样的书，心田里会慢慢地滋生起爱的美德，有美德的人才会有真正的美丽。

再次，通过读书会让教师成为一个有智慧的人。智慧似乎只可领悟而不可言传，但智慧可以理解和阐发。书中有诸多对智慧的解释。苏格拉底认为"认识自己"是最大的智慧，亦如老子所言，自知者明，知人者智。亚里士多德认为智慧是一种能力状态。能力是智慧的落脚点，但它不是一般的能力，而是能力状态，是能力的整合，是综合性的能力。为此，必须促进自己全面发展，提升自己的整体素养。孔子说："知者乐水，仁者乐山；知者动，仁者静；知者乐，仁者寿。"知，智也，智慧需要在动态中生长，智慧的表情是快乐、自由。庄子说："大知闲闲，小知间间。大言炎炎，小言詹詹。"大智者，要有形而上的宏观视野和战略关怀。读书，会让智慧的绿芽冒出来。

总之，许多人生的道理、教育的意义都在经典中。让我们放开眼孔读书吧，如此才有可能站稳脚跟做人。

三、让自己有一张书桌

季羡林的弟子卞毓方曾说过这样一段话：我有一张书桌。问题是书桌放在哪里？他是这么说的：把书桌放在天安门城楼上——让阅读、学习与祖国的心脏一起跳动；把书桌放到遥远的太平洋的一座孤岛上——让自己的心安静下来，去浮躁，去功利；把书桌放到南极去——在最艰难的地方，通过阅读开发人的最大极限；把书桌放到帝国大厦的顶上去——读书垫高了自己的脚跟，山高人为峰；把书桌放到巴黎圣母院去——读书会让我们领悟、体验什么是纯洁、崇高，什么是真诚、伟大；把书桌放到俄罗斯的庄园去——与大文豪大诗人为邻为友；最后，把书桌放回故乡的大地——获得乡情，这样，无论走到哪里，都知道我是谁，是从哪里来的。

书桌问题实质是读书问题。教师们有张书桌吗？也许有张办公桌，办公桌还不是书桌；家里有书桌吗？也许有张麻将桌，但麻将桌绝不是书桌，读书与娱乐不是一回事，读书这一生活方式与娱乐化的生活方式是不可同日而语的。教师们真的应该为自己设计、规定一张书桌。

其实，书桌已成了一种隐喻，具有象征意义。一位语文教师在沙龙上有一段精彩的对话：家里只有一张梳妆桌，而没有书桌。怎么办？他对夫人说，你需要化妆，我也需要化妆，不过我是思想的、精神的、心灵的化妆。说得好。阅读，是思想的丰富、精神的提振、心灵的纯净，这样的化妆特别重要。因为，精神的追求才会让自己的人生更有意义，更幸福，也才会使自己走向伟大。因此，书桌不在空间，而在自己的心里，书桌更是一个让时间更有意义的概念和极具价值的文化符号。

与书桌紧紧联结在一起的是读书的心态和表情。昆曲《班昭》中有段唱词："最难耐的是寂寞，最难抛的是荣华。从来学问欺富贵，好文章在孤灯下。"无须对这段唱词作过多的解释，其意思非常清楚，但是需要强调的是，让自己的心安静下来，让自己的心干净起来，让自己在寂寞中，在清贫中，在刻苦勤奋中，拥有真正的幸福。也许，阅读成了一剂治疗浮躁之气、浮华之气、浮夸之气的良药，成为一种抵抗娱乐化生存和享受性生存的力量。

常常谈及阅读的原则与方式。依我看，阅读的最高原则是自由，自由地选择，自由地阅读，自由地分享；阅读方式最为有效的应当是适合自己的方式。倘若形成了这样的状态，就是到了阅读的最高境界。我们应为此而努力。

是一种力量，阅读让我们永远向上向前；是一种阶梯，阅读让我们向着专业发展的方向以及人生的光明永远攀高。这种力量，这种阶梯，砥砺我们永远放大眼孔读书，站稳脚跟做人。

让汉字教育成为盛大的文化节日

　　《中国汉字听写大会》原本是一档十分普通的节目，但其收视率竟逼近同期播出的《中国好声音》，引起了数百家媒体的高度重视、数千万网民的全城热议和海内外华人的鼎力支持。"汉字听写"已演绎为"汉字书写"，成为夏天最热的词汇之一。这似乎是十分偶然的，却又是必然的，因为它撞击了当下社会中存在的问题，彰显的是特有的文化意义，形成的是广泛的文化认同，引发的是深刻的文化思考。

　　汉字是中华民族的文化载体，汉字本身就是一种文化存在，汉字听写、汉字书写的实质是中华民族文化传承与发展的一种形式。这一形式联结的是一个民族，是一个民族的历史、现在与未来。梁衡说得好，汉字、母语好比是母亲微笑的脸庞、温暖的胸怀、甜美的乳汁，爱汉字，就是爱民族，爱祖国。汉字，无论是其本身，还是其承载的文化，凝聚的是中华民族几千年积淀的智慧。余光中在《听听那冷雨》中说："杏花、春雨、江南，六个方块字，或许那片土地就在那里面。而无论赤县也好，神州也好，中国也好，变来变去，只要仓颉的灵感不灭，美丽的中文不老，那形象那磁石般的向心力当必然长在。"汉字发出的声音当然是最美的"中国好声音"。

　　关注和研讨《中国汉字听写大会》，引发语文教学诸多联想也是必然的。语文教师的敏感性，也许就是从语言的敏感而起。担任本届听写大会学术讲解人的蒙曼教授说，汉字听写大赛在提升全社会对汉字的重视程度的同时，让汉字教育重回家庭、重回课堂，成就一代代不仅会敲击键盘，也会挥毫泼墨，不仅有科学精神，也有人文理念的中国君子，真正做到书写的文明传递，民族的未雨绸缪。所谓"重回课堂"的"重回"，实质是文化审视下的课堂文化重构。

我们应该审视什么？又应该重构什么？首先审视的是语文教学中所面临的两难境遇。由于信息化时代的特点，我们认的字以后可能会多一些，但会写的字却越来越少。这种情况目前已有了苗头，比如提笔忘字的现象正在逐步普遍化，尽管汉字书写能力还谈不上危机，但这确实是一个值得警惕的问题。我们不仅无法阻碍而且要迎接新的书写工具、学习工具的到来，但汉字书写能力的坚守在任何时候都不能有一丝的轻慢，汉字教学永远是语文教学的重要任务之一。

我们需要重构汉字教学文化。汉字教学文化重构，其中重要的是从汉字教学走向汉字教育。如果深究，汉字教学侧重于技术价值的追求，而汉字教育则主张理念价值和文化追求的认同，准确地说，汉字教育是形而下与形而上的结合与统一。汉字教育的内核是，培育与壮大汉字中孕育着的良好、健康的文化基因，让学生从中汲取强大的文化力量和生长无限的文化智慧。蒙曼教授所说的"一个个汉字，就是一个个微缩的中国人"正是这一内核的诗意表达。稍作展开，即汉字教育更重汉字亲和力的教育，要让学生喜爱汉字，亲近母语。汉字教育更重汉字敬畏感的教育，克服使用汉字的随意性，抵制对汉字的调侃、戏谑和汉字规则的解构，进而抵制浅阅读和快餐文化。汉字教育更重汉字文化的开发与体验，让学生有强烈而真诚的文化诉求，在汉字学习中进行文化修炼，提升文化素养。

我想，汉字教学下的文化重构，一定会让我们的母语教育成为盛大的文化节日，而不只是一档节目。

我对"文本细读"的几点想法

有人把改革比作回家。这既是文学描写的语言方式，又具有哲学上的隐喻意义。其隐喻意义是，改革要寻找源头。但是，在寻找源头的回家路上，总会有新的发现，总会有新的想象，于是，一场新的变革往往在回家路上酝酿生成。所以，回家是一种回归，但在文化意义上，回归绝不是回到原处去，更不是复旧。

也许，"文本细读"是语文教学改革回家之路上的一种找寻——从20世纪三四十年代英美"新批评"文学流派中借鉴而来的。的确，语文教学要重视文本，重视文本的钻研（尽管"钻研教材"已被大众遗忘，我还是对其有特殊的感情）。我以为，这是"文本细读"的一大贡献，即把大家的兴奋点、着力点转向文本的钻研，"回到事物的本身"，切近文本的意蕴。但是，任何借鉴或迁移都不是简单的过程，更不是一种"搬运"，其中有些问题还是需要"细读"、细究的。在这里，我把自己的想法端出来，供大家讨论。

一、"文本细读"的本义与主旨

如前文所述，"文本细读"是英美文学"新批评"流派中的一种基本理论和方法。从文献来看，"新批评"实质上是文学作品新的评价理论，其中有新标准、新方法，是对陈旧的评价理论的"批评"。其本义与主旨是把批评锁定在作品本身——文本上，主张把文学作品作为一个独立自足的存在物来研究，而不应该探讨文学与各种社会生活现象的关系，即要坚持所谓"本体论批评"。其理由是，批评的目的就是要通过批评衡量一篇作品在艺术价值上的高低优劣，这样的批评才是"文学"批评，才能让文学批评走向科学化。显然，"新批评"是针对传统的文学批评的。传统的文学批评常常用其他学科来衡量作品的价值，其主要表现是常常介绍作品的相关背景、作者的生平，以及文学史上对作品的评价。"新批评"主张者认为，这样会让文学沦为其他学科的附庸，而文学本身的价值反而被忽略了。他们还做过试验，结果证明在大学的文学课堂上，先讲作品产生背景及其过程的做法，反而让学生根本无法独立判断一篇文学作品的价值。他们还态度鲜明地要剔除六种传统的批评方法。其中包括：对作品主要内容作"提要和意释"；作文学史研究，包括文学背景及作者的生平介绍：所谓的比较文学；等等。所以，"文本细读"是为了排除读者与作品有关的心理反应，让读者或批评者独立判断作品的价值，否则会产生阅读障碍。这些阅读障碍（包括所要剔除的六种传统的批评方法），会让读者产生"先入之见"，其结果是阅读发生偏差。

怎样防止这些偏差呢？最根本的办法是对文本进行细读，并进行语义分析。显然，"新批评"的"文本细读"，细就细在作品的本身，强调作品的独立性，用独立自主性追求作品的"本体论批评"。"文本细读"具有鲜明的排他性，排斥的是与作品本身有关的因素，包括排斥作品的作者、作家的世界，也排斥读者的心理感受和反应。唯此，追求和保持作品本身的艺术价值和纯粹性。此外，值得注意的是，"文本细读"主要运用于诗歌，尤其适用于简短的抒情诗，至于叙事诗或戏剧作品就不太适宜了。

二、"文本细读"的缺陷与问题

"新批评"的辉煌已经成为历史。其实，这是一种规律，尤其是多元文化背景下，任何一种理论都不可能永远是有效的，更不可能是唯一的。"新批评"的"文本细读"同样如此，况且，其理论本身就有较大的缺陷。

最大的缺陷，是"新批评"理论忽略并割断了文学作品与读者的联系、与社会的联系，使其陷于孤立状态，追求所谓"纯粹"的文学作品的艺术价值。其实，这只是一种理论的假设而已。从一般的常识而言，文学活动是由多种因素构造成的，文学作品的解读更是一种作者、读者、作品三者的对话。从语言学理论发展的脉络看，从语言到言语到对话，要求阅读活动中要有"我"，也要有"你"。从"你"中发现"我"。这种对话，实质上形成了作品阅读意义的流动和反馈过程。而"新批评"的"文本细读"，只关注作品本身，忽略了作品及其阅读的其他因素，必然孤立了作品，割断了作品与生活、与社会、与读者联系的生命线。尽管这种"文本细读"可能达到一种"片面的深刻"，但说到底，是封闭的，而封闭必然造成静止甚至僵化。

其实，排除其他因素，孤立地关注作品本身，这种阅读是很难展开的，甚至是不可能的。事实也正是如此，"新批评"派个个都是从传统的文学史训练中过来的，渊博的学识始终是他们做文学批评的前提。掌握一篇作品相关的文学史知识和其他相关知识，应该是必要的阅读或批评的基础，对于文学批评者如此，对于语文教师亦应如此。

三、借鉴"文本细读"用于语文教学

"他山之石，可以攻玉。"借鉴"新批评"的"文本细读"用于语文教学是无可非议的。况且文学领域与语文教学本来就有着必然的甚至是天然的联系，两者的互通与互助，有利于语文教学改革的深入。但是，任何借鉴与迁移，都应充分考虑具体的背景，把握被借鉴、被迁移理论的精髓，关注两者的差异。从实际情况出发，恰如其分地加以运用。"新批评""文本细读"概念的被借鉴，同样要关注和把握好这些关系和问题。

首先，要注意和把握的，一是"新批评"的"文本细读"是对文学作品的批评，而不是一般意义上的语文教学。高等学校及研究院所的文学作品批评，是一种文学作品研究和文学理论研究，与中小学的语文教学有不同的目的、要求和方法。二是"新批评"的"文本细读"用于诗歌的研究，尤其是

短篇抒情诗。这种"细读"对文本的体裁作了规定，可见"文本细读"是有文本边界的。因而，未必有普遍意义。

其次，要注意和把握的是，语文教学的内涵和外延都非常丰富，它的触角必然伸向生活，从生活中取得营养，它也要求为学生打开看社会、看世界的一扇又一扇窗户。"新课标"更提倡语文教学要与生活相联系，要与自己的心灵对话，开发和利用各种课程资源，丰富学生的语文生活。那种把语文当作独立自主的存在物来对待的理念，显然与新课程的要求不相适应。

最后，我以为最为重要的是，过度强调"文本细读"可能会给教师带来一种误导，那就是文本解读要往"细"处钻。这样做的结果，无非是或者自觉不自觉地远离了教材的整体，在丢弃全局的情况下在"细"处作文章。殊不知，这样的"细"是没有多大价值的。"细节决定成败"应该有前提条件：细节服从全局。或者是教师无形中进入技术化的状态，使文本解读丰富的人文性、多样性在技术性的解剖中逐渐丧失。文本解读绝不是一种技术工作。以上情况，我以为在实践中已开始显露。

综上所述，我的基本观点是，"文本细读"可以借鉴和迁移到语文教学中来，但必须慎重。要厘清有关问题，要有正确的引导。

四、我的主张：还是提"文本研读"好

钻研教材是中国教师的"中国功夫"，是我国传统语文教学的宝贵经验，也是名师成功的秘诀之一。

研读是一种综合性的研究活动，不仅对作品本身，还要对作者、对作品背景、对作品相关因素作多方的搜索和研究，以求对作品有整体的认识与把握。研读是以本为本，但要介入自己的理念、经验和见解，进行个性化研究，形成教师的阅读与教学风格。研读是教学设计的前提、前奏，本身也是教学设计的过程。更为重要的是，研读是对文本解构的过程。所谓解构，后现代思想家德里达认为，决不是"对一切既有的理论、价值、文化乃至于社会等所有具有结构或本质的东西进行质疑和发起挑战，进而最

终达到彻底或全面颠覆的目的"，无非是将一切已有的结构都重新打开，重新加以审视和质疑。教材是人类文化、文明的结晶，是一种"结论"，研读它就是打开它，审视它，对它加以质疑，这是一个理解的过程、分析的过程、感悟的过程、提炼和发展的过程，这种解构实质也是一种建构。显然，研读的内涵与意义是和"细读"不同的。当然，它并不排斥整体背景下的"细读"。

想象：从合理到合情

2014 年 5 月底，首届北京国际儿童阅读论坛在清华大学附属小学举行。美国著名儿童文学学者、儿童阅读教育专家、加州圣地亚哥州立大学英语文学系荣誉教授阿里达应邀参加论坛，并作了题为"小学想象力培养的重要性"的深度报告。论坛结束后，我有幸与阿里达作了短时间的交流，很有收获。

阿里达在报告中引用了作家尼尔·盖曼的话："清醒吧——我们需要幻想。"的确，我们常常在昏睡中，我们的昏睡让孩子的想象力也处在昏睡中，甚至处在昏迷中，以致孩子的想象力逐渐萎缩、退化。我对阿里达说：想象力是儿童发展的"第三种力量"。第一种是身体的力量，使孩子健壮起来；第二种是知识的力量，使孩子成熟起来；第三种就是想象力，正是想象力让孩子走得更远。阿里达表示认同，可她补充说：想象力不只是一种力量，还是人的大脑神经中枢区域的一个空间，这空间很小，却又很巨大。显然，她是从生理学的视角去定义的。不过，她说的有道理，只把想象力当作一种力量是不够的。把想象力当作一个空间，可以开启创造之门，生成智慧，所以，它很小，又很巨大。同时，阿里达是在启发我们研究、开发学生的想象力，不能只从教育学，也不能只从心理学的角度出发，还应从脑科学的角度进行科学开发，让这一空间活动起来，使得整个大脑神经区域都活动起来，如此，想象力就会被唤醒，就会活跃起来。看来，情感的力量与想象力是紧紧联系在一起的。

接着我和阿里达谈到了作文教学，在我国，小学作文教学中有个提法：想象要合理。不少特级教师都在强调这一点。我是不以为然的：什么叫想象要合理？合理的标准是什么？今天是不合理的，未来它却可能是合理的，而且不合理的往往成了现实；相反，所谓的想象合理，往往抑制了、伤害了儿童的想象力、创造力。阿里达笑着说，当然。从她听我叙述时的摇头和笑声中，我明白，她认为"想象要合理"是多么荒谬、多么可笑。为什么国外儿童的想象力这么丰富、奇特？"想象要合理"像一条绳索把儿童"捆绑"起来，在所谓的"规范""合理"中，想象力消退了。

当然，我也知道，作文教学中，有的学生想象如天马行空；同时，写作文还有一个表达是否准确的问题，否则，作文的评价是有失偏颇的。于是，我想到，培养学生的想象力，尽管很现实，但我们又应超越现实。它首先是个价值判断问题，即只要这样的想象是有利于学生身心发展的，尤其是有利于学生的思维活跃和情感丰富的，我们就应理解、包容，就应鼓励、保护。因此，对学生想象的价值判断中，饱含着情感。能不能作这样的调整，将"想象要合理"，修改为"想象要合情"。"合情合理"这一词语的排序十分有道理，即许多事情首先不是合理的问题，而是一个合情的问题。合理，强调的是事情的科学性，而合情，强调的是事情的情感性。对小学生而言，情感性要重于科学性；缺失情感性，很有可能让科学性缺失。作文教学中的所谓合情，就是合乎儿童想象的情感需要，合乎儿童自由自在的想象特点，合乎人类创造、发展的共同愿望。所以，要用"合情"来引领学生想象力的发展，"合理"应当在"合情"之后逐步解决。

从作文的不同命运看作文的评判尺度

一、作文的不同命运凸显评判尺度讨论的重要性

作文教学中有一个较为普遍的现象：同一篇作文，不同的章节、不同的专家，对其评判是不同的，有的甚至是截然相反的。作文的不同遭遇、不同命运，说明什么？从表象上看，这是一个作文教学评判的角度和尺度问题，然而往深处看，却是一个作文教学的理念和原则问题。这一问题固然会延续较长的时间，但是，如果不作一些深入的探讨，有可能在无形中，自觉或不自觉地影响作文教学的方向，而且会挫伤学生的信心，使他们不知所措，产生迷惑，因而伤害学生的个性以至今后的发展。

值得注意的是，这一现象至今不仅仍然存在，而且还有蔓延的趋势。尽管我们也常提及，也会作些讨论，却常常让其从我们的研究视野里滑过。这固然与我们的研究意识有关系，需要承认的是，这更与我们的研究方式以及能力有关。让这一话题在我们的教学研究中作更多的停留，有利于作文教学研究的具体、深入，也有助于我们研究意识的增强、研究方式的改进、研究能力的提升。

换个角度看，作文的不同遭遇还没很好地讨论，正给我们的研究留下了空间，包括思考的空间、想象的空间、改进的空间。而且，也许这倒可能成为作文教学改革的切入点、突破口，很有可能成为一个研究与改革新的生长

点。这一生长点的特点是一种"倒逼"：从结果到过程到理念再到原则，寻找新的路径，然后改变结果。不难看出，这一问题的讨论很有必要，很有意义，我们应尽力为之。

二、不同命运作文评判的案例

为方便和具体地讨论，我们可以举些例子。

【例1】兔子的耳朵

（原文）我养了一只兔子。这只兔子是人家送给我的。因为家里有狗和猫，所以就把兔子放在门口，和猫狗分开养。我每天早晨去上学时，总是抱起那只兔子爱抚一番。

这是上个星期四的事。那天早晨我去上学，走到门口一看，兔子的两只耳朵只有一只竖着，另一只耷拉在一边。我对它说："唷！怎么回事呀？把那只耳朵竖起来吧！"可是兔子不理我。"那么，让我给你扶起来吧。"我用手扶起了它的耳朵。可是一放手，那只耳朵马上倒下了。我对阿姨说："阿姨，请你把兔子的耳朵竖起来。"阿姨就用脚夹起了兔子的耳朵。可是阿姨的脚一松开，那只耳朵又倒下了。阿姨说："多奇怪的耳朵呀！"说着，她就笑了。

【不同的评判】这篇作文的小作者是日本人，7岁，川悦子，她阿姨叫雪子。雪子的评判是：看了作文，觉得用"脚"的举动不雅，晚上待悦子睡了以后，连忙把它涂掉，改成"阿姨攥住兔子的耳朵……"本来，最简单的办法是把"用脚"改为"用手"，但她考虑不应该教孩子写假话，才模棱两可地改成这个样子。第二天早晨，悦子发现了所改的地方，不理解也不满意，可阿姨却说："用手去碰那东西多恶心！""这种用脚的没规矩的样子怎能写进去？"而且，在阿姨的理念中，悦子的这篇作文没写出意义，"用脚"改"攥住"只是无奈之举，只能作些小修改，以不影响作文的意义。总之，这不能算篇好作文。可是，作文发下来以后，老师却给它评为优等，理由是写得真实，写得很有意思，写得很出色。老师还认为，小孩子的作文就应该这样写。

【引发的讨论】争议不仅在日本。如果是在中国，让中国教师评判，也一定会有完全不同的评判意见和结果。不同的评判中，隐藏着一些值得思考和探讨的问题。比如，小学生作文一定要写真实吗？究竟什么叫真实？真实的要不要修改？比如，小学生的作文一定要写出意义来吗？有意义和有意思是不同的，究竟要不要写出意义来，只写得有意思，行吗？好不好？

【例2】游中山陵

（原文）星期天，我们去中山陵了。中山陵上有三个孙中山，后面一个是站着的，前面一个是坐着的，再到里面，看见一个是躺着的。三个孙中山的脸都不一样，不知道为什么？我玩了一会儿，觉得没劲，后来小了一泡便，就回家了。

【不同的评判】这是一篇中国小学生的作文，转引自复旦附中黄玉峰老师在复旦大学的讲演——《"人"是怎么不见的？》。黄老师对这篇作文评判是：你看，多么有灵气！多么有童真童趣！真可谓是天籁之音！将来一定是研究问题的高手。可是，小学教师们的评判却不一样，学生作文要写有意义的事，要有一定的思想性，不能看到什么写什么，想到什么写什么，不能胡思乱想，对伟人不尊敬。显然，小学教师们认为，这不是一篇好文章，没什么灵气可言，更算不上是天籁之音。

【引发的思考】仍然是思想性、有意义与有意思孰重孰轻的问题，即小学生作文评价着重追求什么？此外，什么叫童真、童趣？凡是童真、童趣的都可以入文，而且都应该予以高度的评价吗？再有，像这样的作文，应不应该予以修改？比如，"后来小了一泡便"，这样的句子应该删掉吗？归结起来的问题是：作为语文教师要不要对学生的作文进行修改？修改什么？修改到什么程度？此类问题不澄清，教师将无所适从，学生也会产生迷糊以至困惑。

【例3】捉虫子

（原文）一天早晨，我到阳台上拉窗帘，突然发现有一只小虫子在爬。

这只小虫小小的、绿绿的，长着一对银白色的翅膀，好可爱！我从来没有见过，它是什么虫啊？

我想捉住它，便从笔筒里抽出三支荧光笔，挡住小虫的去路。小虫真聪明，转了个身，掉头朝没有笔的方向爬走了。我又连忙抽出一支笔挡住它，心想：把你四面围住，这回看你往哪里跑？可没想到，小虫扑扑翅膀，飞走了！

哎呀，我真笨！我怎么就忘了它还有一对翅膀呢？

【不同的评判】这是小学二年级的学生写的，在第五届上海市写作教学峰会上，获得完全一致的好评。但这篇作文有个"死里逃生"的过程：特级教师徐鹄去朋友家里作客，知道朋友的孙子在二年级就已经会写作文了，便随口问小家伙最近写了什么。小男孩满是委屈地说："我刚写了一篇作文，妈妈说写得很无聊。"徐老师让他说来听听，男孩把自己的作文复述了一遍，徐老师边听边记，听完拍手叫好。家长、老师、小学生对同一篇作文的感觉是不同的，小学生对妈妈的评判"很无聊"显然是不赞同的，不过，他肯定不知道怎样写才不无聊。

【引发的思考】一个说无聊，一个拍手叫好，出发点、评判点是不同的。这小男孩写的是自己的生活。而大人们对生活的认识以及对生活的表达是不同的。这里需要思考的问题是：小学生作文一定要写自己的生活，但写生活的什么？小学生生活中的一切是不是都可以写？这一问题的背后，仍然是：无聊是没意义，却有意思，有意思的生活是无聊的吗？

【例4】菊花

原文大意：《菊花》是一位小学三年级学生的作文。这篇作文运用了排比、比喻、拟人等修辞手法，并且比较熟练，文字优美，结构分明。

【不同的评判】对这篇作文，小学与中学教师给出了完全不同的评判，几位小学教师都给出了高分。而初中、高中教师却只给了个"及格"，即使给"及格"也很勉强，理由是：写作文的套路痕迹明显。他们认为，按套路写作不会得高分。

【引发的思考】思考之一，小学教师与初、高中教师对同一篇作文不同的评判，说明他们评判的标准是不同的，不同在哪里？为什么不同？难道作文评判标准不具有年龄段的整体性和延续性吗？是否存在中学教师对小学教师的"轻慢"，以及"轻慢"中的否定？思考之二，学生写作文究竟有没有套路？如果有，应该是什么样的套路？换言之，什么叫作文的套路？最为关键的是：按套路写作，不能获得高分吗？

三、关于作文评判尺度的探讨

同篇作文的不同评判，既非异常也非坏事。说非异常，因为这样的现象在实践中并非鲜见，是正常的。这大概印证了一句熟语：见仁见智。说非坏事，因为这一现象引起了大家的关注和思考，这样可以从中形成一些基本的共识，进而可以逐步建构起基本的评判尺度。

其实，评判尺度是有的，那就是新修订、颁发的《语文课程标准》。既有"课标"，而在实践中却如此有分歧，说明从"课标"文本到"课标"实践不是一回事，也说明"课标"应当具体化，应该十分明确地规定那么几条。而这几条的形成，应当是从实际出发的，是在实践中试验过，又经实践检验过的。

作文评判尺度，从表面上看，是关于教育理念和《语文课程标准》的具体化及行为化的问题，实质上是关于价值的评判与选择，是一种"价值宣言"。"价值宣言"必然发挥重要的理念导向和行动导向作用，这既是理论建设的需要，更是实践的需要。

对以上案例所引发的思考、探讨的问题，我不能作出完整的回答，即使有回答，也只是个人的一些看法和建议，未必正确。不过，我以为这是一件颇有意义与价值的事。

1. 作文评判的尺度必须建立在儿童立场之上。

作文评判应是价值判断，而价值判断反映了一个人所持守的立场。作文评判的立场当然应是儿童立场。所谓儿童立场，是说一切为了儿童，从儿童出发，用通俗的话来说，就是想儿童之所想，急儿童之所急，为儿童发展而着想、着力。坚守儿童立场，反对的当然是成人立场、教师立场。所谓教师立场，是用教师的目光来审视，用教师的要求来衡量，用教师的情感来辨别，用教师的经验来评判。事实上，教师立场与儿童立场存在极大的差异，甚至是对立的。立场的对立肯定产生不同的评判尺度，带来不同的结果。

站在儿童立场上，作文评判的重点应当是呵护并发展童心、童真、童趣，即儿童所认可的，教师亦应认可；儿童所喜欢的，教师亦应喜欢；儿童所追求的，教师亦应追求。斯霞老师是坚守儿童立场的楷模。"文化大革命"结束以后，学校常有外宾参观，三年级小朋友在作文里这么写：今天，学校里来了许多外宾，其中有一位法国女阿姨和我交谈，我真高兴。"女阿姨"显然是病句，但斯老师发现了却不改，她说，这就是孩子的视角、孩子的话语、孩子的方式。作文评判坚守儿童立场，应着力研究以下几个问题：

一是什么是真、什么是童真。《兔子的耳朵》一文中，用脚夹起兔子的耳朵，是真实的，是具有童真意味的，如改为"用手"是不真实的，改为"攥住"，模棱两可的表述，严格说来，也是不真实的。所谓"真"，就是认识内容与所反映对象的一致，如果一事物具有该事物所特有的规定性，那么，就是"真"的。"真""真实"所彰显的本体论意蕴与认识论意蕴应当是一致的，而这一致性，用黑格尔的观点来说，是"美"的。因此，学生作文中的"真实"应当是对客观事物的客观反映与描述，是对客观事物内在规定性的尊重。儿童的眼睛是最"真"的，他所描述的是真的，教师不应随意改动。

二是童真中的"真"还包括儿童的想象，想象是基于真实的超越，是另一种真实。十几年前，诗人金波曾读到过一首诗《射出一个小太阳》："小手电／照墙上。／我把开关打开了／哈！／射出一个小太阳。"金波说：这个当时只有两岁零三个月的幼儿，玩小手电，玩得很有兴趣，随口吟了这首小诗，爷爷记录下来，这是真实的。"射出一个太阳"是"不真"的，是想象出来的。但在这位小作者的经验中、心目中，也是真实的。所以，儿童的想象并不影响真实，恰恰是最真的，是最具创造感的，不能随意改动。

三是小学生作文的"有意思"与"有意义"。无论是《兔子的耳朵》，还是《捉虫子》，总有人认为没写出意义来，甚至是无聊。如果从儿童的立场出发，小学生作文重要的、首要的不是写出"有意义"，而是写出"有意思"，抑或说，"有意思"要比"有意义"更重要、更有意义。把"有意思"置于作文评判的尺度里，有利于童心、童真、童趣的表达和发展，相反，强调"有意义"反而会限制学生，甚而会伤害童心，而"有意思"可能会带来新意和创意。小学生作文应提倡，让"有意思"走在"有意义"前头，用有意思的方式表达"有意义"，让"无聊"退出评判的尺度。

2. 作文评判的尺度应置于儿童丰富、多彩、快乐的生活之上。

小学生的作文有一个鲜明的主语：生活。有生活，才有作文表达的必要可能；作文，正是对生活体验的回忆与表达。生活有多丰富，作文才会有多丰富；对生活内涵的体验有多深刻，作文的内涵才有可能显现出意思和意义来。这样，作文也才可能引导学生热爱生活、创造生活。生活——作文的主语，昭示着作文的宗旨、方向、内容以及作文的风格。这些无疑都是正确的，也是可以理解的。

以《捉虫子》为例。徐鹄老师之所以拍案叫绝，是因为小作者写了生活，写了儿童生活。他说，儿童作文，本是儿童生活的表达、成长的记录。从这点出发，所有能如实反映孩子生活、思考的作文，都是好作文。这里包含着以下一些问题需要明晰：

一是小学生要有自己的生活。儿童要有自己完整的丰富多彩的生活，不能只是读书、作业、复习、考试，只有分数、成绩、升学，而没有天空，没有田野，没有蚂蚁，没有小鸟……小学生的作文不能被捆绑在学习生活中，准确地说，不能被捆绑在"作业生活"和"考试生活"中。换言之，反映小学生生活的，诸如捉虫子、逗兔子、草地上打滚、玩小木枪或电子枪、赛小汽车、踩滑轮等都应鼓励、肯定。还要鼓励学生说真话，不说空话、假话。鼓励这样的作文，就是鼓励学生热爱生活，过完整的生活，创造可能的生活。

二是小学生的生活是儿童的生活，而不是成人的生活。因此，小学生的作文不能说大人话，有大人腔、"成熟调"，他们说自己的话，即使有些瑕疵，也不应批评指责。相反，却显得真实、可爱。这里还有一个话题，即小学生能不能写大人的生活？当然是可以的，因为他们生活在一个绝非割裂的世界中，他们也要学会对整个世界进行观察与思考，在扩大的社会生活中，提高社会化的程度。问题在于，即使写大人的生活，仍然应该坚持的是孩子的视角、孩子的方式、孩子的话语。

三是孩子对生活的表达，也有一个对生活内容选择的问题。儿童的生活世界是杂芜的，有正面的也有负面的，有积极的也有消极的，有健康的也有不健康的。写什么、不写什么是一个对生活的认识与选择问题，应鼓励写生活中正面的、积极的、健康的，引导他们热爱生活、向往幸福。不过，这并非是不让学生反映生活中的负面与消极，但应当有正确的引导，让学生有正确的判断，更应鼓励和引导学生批判负面的，去追求理想的生活。

四是生活是作文的主语，绝不能让生活为作文服务。实践中有一种现象，教师组织活动，创造多种生活，总要在活动前给学生布置写作文的任务和要求。教师的意图看起来无可非议：注意观察，积累作文素材，写好作文。若深究起来，则是颠倒了生活与作文的关系，作文成了生活的目的，生活要为作文服务。事实证明，这样的做法淡化了学生的兴致，削弱了学生生活中享受与创造的激情，生活变得功利起来。也许，这并不是评判的尺度问题，然而，却关涉作文的生活源泉和目的问题，它必定影响作文评判的尺度。教师如何处理，需要智慧。

3. 小学生作文评判尺度应置于鼓励学生大胆地个性化的表达之上。

《菊花》这篇作文，中学教师之所以给予较低的评判，是因为"套路痕迹明显"，按套路写作文不会得高分。所以鼓励学生不按套路写作文，就是鼓励学生进行个性化表达，将其作为作文评判的尺度，导向是正确的，意义是深刻的。道理很明显，因为个性是创新的前提与基础，不按套路写，即鼓励学生敢于突破、创新，有自己的视角、自己的方式、自己的思考、自己的体验、自己的见解。此外，创新意识与能力培养不是句空话，而应渗透在教育教学的各个方面，作文是其中一个十分重要的方面。由此看来，不按套路写作文，深刻的意义在于让小学生成为具有创新意识和能力的人。对此，作文教学责无旁贷。

同样，在这方面也有几个问题需要讨论：一是作文教学究竟有没有套路。作文教学应当有规范性的要求，但规范性要求只是内在的规定性，不应成为套路。套路是固化了的千篇一律的东西，而且定会从固化走向刻板化、走向僵化，一定会限制学生的思维。所谓规范性要求，《语文课程标准》里有了规定，不按套路，是要按语文"课程标准"去寻找自己的表达思路和方式，运用发展求异思维和发散性思维，敢于与众不同。2012年伦敦残奥会开幕式上有一首《我是故我在》的歌曲，歌词是："我是故我在，独属于我的存在。……这就是我的世界。在这里，我有我的骄傲。"学生的作文就应当是这样的理念和追求："这就是我的世界！"

二是不按套路写，鼓励学生能有自己独特的想象。丰子恺的女儿丰一吟有一著作《爸爸的画》，里面对丰子恺的画作了精彩的评点。其中一幅是《阿宝两只脚，凳子四只脚》。丰一吟回忆当年的情景："妈妈为我洗好了脚，穿好袜子，让我自己去穿鞋子。鞋子在凳脚边，我看到凳子光着四只脚怪难看的，便把自己的鞋子给它穿上，站起来一看，真有趣！"妈妈批评她，可丰子恺保护了现场，拿起笔，把眼前的景象画下来。丰一吟，当年的儿童，给凳子脚穿鞋，多有童心、情趣和创意！这就是"不按套路"。对学生作文的"异类"表达，我们的态度不是批评，而是保护、鼓励。唯此，学生今后才会有传世之作。

4. 在评判尺度上，教师是有使命的。

简单地说，教师对学生的作文有指导和修改的使命与责任。那篇《游中山陵》一文，尽管学生如实反映了生活，也有意思，但没有值得修改的地方了吗？如果对"小了一泡便"此类的语句不修改，教师尽责了吗？写得"有意思"，绝不能看到什么就写什么，想到什么就写什么。即使写了三个不同姿态的孙中山，也不是什么"灵气"，不是什么"天籁之音"。这里也可看出中学教师与小学教师评判尺度是有差异的，不能说谁是谁非，但是有两个问题需注意：对小学教师而言，应拓展思路，不要局限在作文的规范性要求上；对中学教师而言，不要过于理想化，只看重"另类"，而忽略应有的规定性、规范性。中小学教师的作文教学，包括评判尺度应加强沟通、交流和研讨。中小学教育的衔接，作文教学是其中一个十分重要的方面。

教师不仅有修改、引导学生作文的使命，而且也应对家长施以影响，让家长在作文的评判尺度上，也有新的认识和进步。家校教育互动，有利于形成作文教学的合力。

最后想说的是，作文的评判是个永久的话题，概括起来，聚焦在教师的专业智慧之上。用专业智慧来破解作文的评判尺度，本身就是智慧的。老师们，让我们在作文评判的尺度的讨论与实践中，做个智慧教师吧。

《爱的教育》与作文教学

一、《爱的教育》与作文教学发生意义联结

曾读到一篇报告文学，是写我国著名的儿童文学理论家蒋风先生的。因家境贫寒，蒋风先生直至三年级才有机会插班读书。那位教数学的女教师，学生们特别喜欢，其中一个重要原因是，老师每周利用一节数学课，专给大家读小说:《爱的教育》。整整读了一个学期，读完了，学生们一直沉浸在动人的故事之中。学期将要结束时，老师又利用数学课，开展了一次特别的活动:用小说中人物的名字命名班上的同学。从此，班上就有了那位勇敢的少年鼓手，有了深夜为父亲抄写上学的笔耕少年，有了六千里寻母吃尽千辛万苦并在最后关头救了母亲的孝子……可是，蒋风一直没有得到命名，好不伤心。老师发现了，请他到宿舍，表示歉意，还赠送他那本《爱的教育》，并且在扉页上写下两行字:"永远记住，做一个平凡的人，但一定要让平凡的心闪烁不平凡的光彩来。"蒋风怀着《爱的教育》和老师的题词，走出了小学，走进了中学、大学，走上了儿童文学研究之路。

这个故事我曾亲自问过蒋风老师。我觉得《爱的教育》是一本很神奇的书。虽然我不能肯定是否是《爱的教育》让蒋风成了儿童文学理论家，但我完全相信，是《爱的教育》，是老师的题词鼓舞了他，启发了他，引导了他。

我想，《爱的教育》究竟有一种什么样的力量，最终给蒋风的心灵播下了什么特殊的种子？同时，《爱的教育》也会给我们什么吗？它会给今天的语文教育，甚至给当下的作文教学带来什么新的启迪？……这是一个相当有意思的话题，但是需要阅读，需要细想、探究，需要寻找意义的联结。于是，我再一次好好品读《爱的教育》。

我又读了，而且很快又认真地读完了。当我掩卷遐想时，突然发现《爱的教育》也向我不断地透射出爱的光芒，照亮了儿童教育，同样也照亮了语文教育，而且我隐隐觉得，《爱的教育》也照亮了作文教学，为我们送来了一束智慧之光。换个角度说，当我们怀着爱去读的时候，我们一定会从《爱的教育》中发现真正的教育、真正的语文教育和真正的作文教学，一定会找到学生爱作文的密码。我深深以为，《爱的教育》不只是一本吸引人的小说，也不只是一本活的教育学，而且是一本极有风格的课程论、教学论，甚至可以认定，它还是一本深藏着密码的作文教学指导书。它是经典，所谓经典，就是"我又在读""我还在读"。《爱的教育》与作文教学的意义联结、想象，正是在"又在读""还在读"中发生的。我们要去进行《爱的教育》与作文教学意义的嫁接。

二、《爱的教育》中闪烁着作文教学智慧

不想多去介绍作者亚米契斯，也不想多去介绍《爱的教育》中的诸多精彩故事。但有一点是必须介绍的：这就是亚米契斯以儿子的日记为基础改编成的日记体小说，主人公昂里克，一个刚升上四年级的男生，在不到一年的时间里经历了许多事情，书中是他的所见所闻所思所想。小说在最后一部分，比较集中地写了昂里克在舅舅家疗养时所发生的故事，其中包括关于昂里克作文的。如果作些梳理、概括，不难发现主要有以下方面。

其一，关于作文发生的地方。对孩子们来说，最好的课堂在哪里？最好的教材是什么？舅舅是这么对昂里克说的："你已经把学校的椅子和教科书都扔开了。你以后的椅子是花园里的石头或海岸的岩石，我就做你的老师。""我不叫你做背诵这类的功课，你一定做个成功的人。要想成

为有价值的人物，拿着教科书是不行的。"他又说："你有着好好的两只眼睛，应该用这眼睛去看世界。你又有着好好的心，应该用这去思考。"舅舅告诉昂里克，要往前走，但不能只管低头自己前行，要留心一起走的人，要注意从对面走来的人，要顾到路旁的田野和森林，要远望在地平线那方的山。路上的这一切都可以成为自己的活教材。舅舅动情地说："书本中所写的和老师所教授的，只是从自然这部大书中跳出来的东西。自然是智慧之母，是老师的老师。"他还教昂里克去观察路边的松树，作一篇关于松树的感想告诉母亲。他说："替我告诉她，舅舅教你的第一课就是松树谈。"舅舅实在说得太好了，我不舍得做删减。是啊，语文的课堂究竟在哪里呢？舍弃大自然这本教材，是多么愚蠢啊！第一堂作文课怎么上？难道一定要在教室里？第一次作文怎么写，难道一定要写我难忘的一件事？

其二，关于写作文的学生。学语文、写作文的孩子是什么样的人？历来大家都认为，孩子就是学生，就是练习写作文的人。这本没有错，舅舅可不这么认为，他有独特的想法、见解。他说："每个人都应是诗人。如果我们没有诗人之心，那么他的人生就不能开出美的人生之花束。"舅舅还说，孩子还应是一个"种诗的人"。种的是什么诗？究竟什么是诗？舅舅这么说："我们不仅应当有生命的面包，还应当懂得怀念、爱、思考，这些是生命的葡萄酒。葡萄酒要比面包更重要。""一旦种下了诗，任何平凡的事物也会生长出爱与幻想，一切都会含有别样的情趣，来把人心温暖起来。"多美妙的比喻！孩子不是在作文，是在种诗。种下了爱，种下了思考，种下了幻想，就是种下了诗。看来，作文应当是美妙的，写作文的孩子是伟大的。

其三，关于作文的题材。好的作文练习题从哪里来？舅舅家后面是一农家，农家有个尚在摇篮里的婴孩，可是父母无暇关心到他。舅舅带昂里克去，轻轻打开门，明晃晃的太阳照进来，射破了室中的昏暗，映在小孩的脸颊上。立刻，小孩把水汪汪的大眼睛张开，擦着眼睛，深深吸了一口气，又呼地吹出来，似乎想把阳光吹走。哦，原来，那小孩是把这阳光当作每晚母亲为他吹灭的点在枕边的蜡烛。舅舅说："看啊，想把这样单纯得比太阳还伟大的小孩的样儿，用画笔画下来，不，写成诗更妙。怎么样，你有了好的作文题，就叫'想吹灭太阳的小孩'。"这简直是一幅油画，简直是充满奇特想象力的一首诗！好的作文题目就在生活中，就在想象中。

接地气
——以三年级学生作文起步为例

　　教师们对专家、学者以及特级教师的课改讲座常说的一句话是：要"落地"，要"接地气"。意思很清楚，不要空谈，不要只讲理念，要具体，要可操作。我当然不反对专家们的讲座也应"形而上"一些，要以理念的转变为先导，而且贯穿课改的始终。与此同时，老师们的要求也必须充分考虑，因为他们每天都要上课，要上好每堂课，处理好每一个教育环节。问题在于什么叫"落地""接地气"，怎样才能"落地""接地气"。

　　沪锡通（上海、无锡、南通）有一个小学教改联盟，每次活动都有一个主题，2013 年的主题是"三年级学生的作文起步"。三年级是小学教育阶段学生学业成绩产生分化的关键年级，作文是其中的一个突出问题，学生的语文成绩常常在三年级作文起步时开始分化，以致影响今后的语文学习。选择三年级学生的作文起步，首先是个"接地气"的话题。所谓"接地气"，一定是具有很强的现实针对性，或是新出现的问题，或是困难问题，或是困惑问题，总之是教师迫切想了解、想把握、想解决，但一时又解决不了的问题。"地"者，教学的现场也，教学的实践也。

　　"接地气"之"气"从何而来？ 3 所学校分别上了一堂作文指导课：一堂课，让学生观察上课教师的身材、形象，要从"看""听""想"几个方面去观察、说话、写下文字；一堂课，让学生玩肥皂泡泡，先是教师玩，后是一个学生自己玩，再后是 4 个学生一起玩，泡泡的上与下、左与右，尽收学生眼底；一堂课，让学生事先观察校园的校训标志——和爱球，从外形、颜色、图案、硬度等方面去触摸、体验，讨论后写下一段或几段文字。学生基本都完成了任务，而且有的还写得相当不错。看来，生活是"气"之源，没有生活中的观察、探究、体验，哪来的学生作文？三年级学生早就有了生活体验，作文教学的任务之一是要引导学生有意识地关注生活、投入生活、描述生活，在生活中体悟，在生活中想象，这样就会言之有物、言之有情。作文起步，说到底，是在生活中起步，三年级作文教学的"接地气"，说到底，接生活之气，丰富学生生活，才会有"气"可接。

"气"还来自教师的教学。可以说，学生总是怕作文的，一般来说，很难有学生是喜欢作文的。学生作文起步时，最宝贵的是学生的兴趣。观察上课的教师，玩泡泡，触摸和爱球，与和爱球比大小，还与它拥抱，都充满乐趣，通俗地说是很好玩。学生作文，尤其是学生起步时，最怕的是摆出一副"作文脸"，一口"作文腔"，让学生望而生畏。不妨把作文当作一件礼物，让学生快乐领受；不妨把作文当作一次游戏，让学生自由地参与；不妨把作文当作一回聊天，让学生在故事中生发想象。兴趣会像一股清新之风，吹开学生的心智。

还有很重要的一点是教师的宽容。起步时学生难免有错，难免有误，这时他们需要信心，信心来自宽容和鼓励。所谓"接地气"，是教师与学生心心相印、息息相通，是接学生的"心灵之气""自信之气"。这样，起步正了，作文教学就慢慢"落地"了。

"双语教学"的本义及其他

　　国内部分幼儿园进行着"双语教学"的试验。在全球化背景下，随着国际交流、合作的加强，以及幼儿园教育教学改革的不断创新和深入，这种试验有可能逐步扩大。但是，在这种试验的本身及其背后，到底有哪些问题需要进一步加以研究和澄清，这既是一个现实问题，又是一个具有战略意义的问题。

　　1. "双语教学"的定义：用第二种语言或外语进行非语言学科的教学。

　　什么是"双语教学"？《朗曼应用语言学词典》给出的定义是："双语教学"是指在学校里使用第二种语言或外语进行各学科的教学。该定义用"第二种语言或外语"来界定"双语"，反映了"双语教学"的历史由来（"双语教学"一开始就是针对诸如美国这样的多民族移民国家，主流社会的语言是英语，但为了使非英语种族的文化与传统得以保存，而在公立中小学里既开设英语语文课，又开设本族语语文课），比只用"外语"来界定更为准确。至于用双语"进行各学科的教学"，则显得过于宽泛。我认为，时下的说法，用双语"进行非语言学科的教学"，则更恰当，亦更符合"双语教学"的本义。

　　由此，我们不难看出，第一，"双语教学"绝不仅仅是一种教学方法，而首先是一种语言政策。比如，我国是一个多民族的国家，为了民族大团结和民族文化的保留、发展，在少数民族地区也同样实行用汉语和本民族语言进行教学的语言政策。当然，由于我国不是一个双语国家，因而在绝大部分地区，"双语教学"更多的是属于"汉语"和"外语"教学的范畴。第二，"双语教学"绝不是开设外语（主要是英语）课，而是在用汉语教学的同时，还要用外语进行非语言学科的教学。开设外语课，只是课程设置和课程内容的变化。那种在幼儿园开设外语课，或加强外语教学的做法，并不是真正意义上的"双语教学"，当然，"双语教学"的起点和基础是加强外语教学。为此，有必要为"双语教学"正名，也有必要对幼儿园的"双语教学"试验进行准确定位。

2. "双语教学"的目的：在弘扬本民族文化传统中融入世界文化。

语言是文化的载体，一种语言代表着一个民族的文化；多一种语言，就会多一种文化；多学一种语言，就多了一个了解其他民族文化和传统的窗口。因此，"双语教学"的目的是在继承、弘扬本民族文化传统的基础上，培养个体开放的心态、全球的胸怀、国际的视野，认同并接纳多元文化，使之成为"地球村"的村民。由此不难看出，"双语教学"不仅是面向现在的，更是面向未来的，不仅是面向本民族的，也是面向世界的。那种把"双语教学"的目的仅仅定位于语言训练的观念是十分片面的。

目前，有的幼儿园把"双语教学"当作一种"时尚"来追求，而时尚的背后却是肤浅和浮躁。有的幼儿园把"双语教学"当作办园"特色"来研究。这种特色可能把"双语教学"当作一种"装饰"和"标牌"，其背后也可能不乏经济利益的驱动。如果真是这样，实在是对"双语教学"目的的异化，"双语教学"试验亦难免令人感到悲哀。

3. "双语教学"的原则和特点：与外语的"亲密接触"。

"双语教学"应当为幼儿创造与英语"亲密接触"的环境和条件。接触是一种交往、一种互动，这一人性化、生活化的要求，充满着丰富的内涵，也暗示着"双语教学"的原则和特点。

"亲密接触"要消除幼儿的陌生感和畏惧感。"双语教学"要关注和尊重幼儿的兴趣，从幼儿的兴趣出发，并通过"双语教学"发展这种兴趣。这就提醒我们不要把"双语教学"当作一种强制性的要求。如果"双语教学"泯灭了幼儿的学习兴趣，使之对英语产生畏惧和厌恶，则必定使"双语教学"以失败而告终。

"亲密接触"要让幼儿经常接触，让幼儿生活在英语的情境中和用英语交朋友。久而久之，用英语对话、用英语思维、用英语理解文化就会成为幼儿的一种自觉的习惯。因此，"双语教学"要重视接触的"亲密度"，重视用英语为幼儿创设环境和学习的机会。

"亲密接触"是一种体验。"双语教学"要让幼儿在英语的情境中经历并进行个性化的体验；要培养幼儿的语感，进行"双语"的比较，体验不同语言的不同特点，寻找共同的规律，并在"双语"中进行迁移。海德格尔说，"想象一种语言，就是想象一种生活方式"。体验性的学习，对于提高幼儿语言的内化，改善幼儿的学习方式至关重要。

一次有意义的试验与探寻

——张康桥《望月》教学的启示

语文教学永远是一种试验与探寻。之所以想起这样一句话，是因为张康桥老师就《望月》上了好几个版本，据他自己讲，有不成功的，我听过一次，却是成功的。总之，我以为张老师的《望月》教学是一次极有意义的试验与探寻。

一、对课堂教学中发挥学生主体性问题的探寻

无疑，学生应该是语文教学过程的主体，但究竟应如何体现学生的主体性，如何突出学生的主体地位，这虽然是老问题，但实践中的认识是不一致的，思路也并不清晰。《望月》教学中学生的学习始终是积极的、主动的，显得愉快、兴奋，十分活跃，常常有智慧的火花迸发。几乎可以说，学生已经忘了这是在上课，而是一次真诚的无拘无束的对话。学生主体地位的凸显，自然而真实。我揣摩张康桥老师发挥学生主体性的思路似乎是：让学生处于积极的思维状态，过紧张而有意义的智力生活。首先，他创设了生动的人称语境："你"和"我"。"你有没有看过月景？谁来说说你看到的月景？"固然，面对着学生，必须用"你"，但是，在《望月》教学中，"你"不仅有一种亲和力，更有一种感召力。一开始，就把学生推向"主角"地位。于是，"你"随时转换为"我"："我要……""我读出了……""我总

觉得……""我想提个问题……"这里，"我"与"你"已不是一个简单的人称和应答，在"你""我"的召唤与转换中，学生开始真正用"我"的方式来思维和表达。其次，不断地刺激学生的思维，让学生的思维永不停歇。张老师常常抛出问题，让学生比较，让学生讨论，而无论是抛出的问题，还是比较与讨论，都极具思考的价值，蕴藏着挑战性。尤其教学的后半段，在前面学习的基础上，让学生伴着《回到童年》的音乐朗读，向学生提问："这里面（课文与音乐）有什么？"关于音乐、月亮以及"有什么"的提问，串起了学生的思维链，学生不禁发出了关于"家"的感慨："一个人是不是有两个家？一个是有爸爸妈妈的家，还有一个是有梦想的家。"学生的思维在活跃中走向深邃。我以为，张康桥老师的教学理念是：要教好《望月》，教师首先要"望心"，"望月"实质就是"望心"——只有走进学生的心灵世界，打开学生的心智之门，学生的思维才能被激发。教学过程中以学生为主体，就是以学生的思维发展为重点。以学生的思维发展为重点，就是对学生主体性的深度开发。

二、对儿童的文学教学特质的探寻

优秀的儿童文学"不仅是小学语文教育的基本内容，而且还应该成为小学语文教育的方法"。朱自强教授认为，所谓儿童文学的方法，主要可以归纳为感性化和趣味化两种方法。其实，这种感性化、趣味化的儿童文学方法透视着、彰显着儿童文化的特质和力量。优秀的儿童文学作品的教学，在很大程度上影响着、导引着小学语文教学的特质和方法，进而解构那种讲解、分析、训练的教学模式，让学生爱上语文。需要特别说明的是，《望月》虽不是一篇儿童文学作品，但并不妨碍用儿童文学的方法来探寻儿童文学教学的特质。

值得注意的是，当下（包括长期以来），文学作品包括儿童文学作品一旦进入教材，一旦成为教材，我们往往按"教材"的思维去对待，忽视了文学的特质及教学的特点。在原初阅读时，教师强化了分析，而无意中弱化甚至丢弃了想象与欣赏，以知识的掌握、意义的分析与追问代替想象、欣赏与创造，剩下的只能是知识的骨架，而无"文学"；设计教学时，强化了教学程序，弱化了作品的内容，因而教学被技术化、程序化；在教学时，强化了讲解，好一点的教学方法美其名曰"有意义的接受学习"，但实际上都弱化了学生对内容的自主感悟。于是，儿童文学教学枯燥无味，文学特有的意境和意蕴已逐渐远离儿童。显然，张老师的教学正在努力改变这种状况。

《望月》是篇优秀的文学作品，宁静的夜晚，皎洁的月光，银色的海面，留给人们很大的想象空间，舅舅和小外甥的对话则给学生带来了经验的比照和心灵的碰撞。张老师从文学教学的特质出发，营造了丰富、生动的教学情境，让学生浸润在儿童文化之中，激发学生的情感、想象与创造。首先，他把自己看作文学作品的欣赏者，让文本的审美意蕴感动自己。他在课堂上外表显得放松、冷静，内心却荡漾着对美的憧憬，对儿童的真诚的爱。事实证明，好的语文教学是教者、作者、学习者的相互认识和发现。其次，教学过程中，张老师注重引导学生联系生活经验，基于文本，又超越文本，张开想象的翅膀。"在小外甥眼里，月亮是什么""在你的心里，月亮像什么呢""可长大的舅舅借着月亮想说什么呢"……一个个问题，实际上是一个个想象的触发点、生长点。但是想象没有离开文本，没有离开文本的阅读，也没有离开学生的语言训练。想象与阅读联手，想象中有知识的传授，有感悟，又有伴随着理性的讨论和基本训练。朗读、想象形成了《望月》教学的主要手段，感情的丰富与激发成了《望月》教学的鲜明特点，教学成了精神交流的形式，而这种交流又是在理解与运用语言文字中进行的。更有意味的是，张老师本人却并不激情飞扬，甚至给人"隐"在学生身后的感觉。他似乎更愿意让儿童感受到自身内在的力量——这样的儿童文学的教学是一种理想化的追寻，因而也是充满"荆棘"的。在普遍追求视觉效果的公开课上，教师"隐"于学生中，致力于让儿童体认自身的内在力量——的确触摸到了"文学即人学，教育学也是心灵之学"的本质。但随之而来的是，课堂本身也充满了不确定性，教师也把自己"逼"到极度"危险"的境遇。因此，与其说这是对儿童文学教学特质的探寻，不如说是教师对自身素养的挑战。

三、对阅读教学中读写结合的探寻

阅读教学中的读写结合是一个重要的命题，也是一道难题。读写结合得好，不仅有利于学生写作水平的提高，而且有利于阅读教学结构和过程的变革。实践中，阅读与写作常常是分离的，甚至是分割的。在一般的读写结合的实践中，写作训练也常常只是一个小环节而不是"读写结合"。当然，写作训练作为一个小环节也无可厚非，但是读写结合的内涵应当是丰富的，方式应当是多样的，结合的机制应该进一步研究。在这一难点问题上，《望月》教学中的一些试验是有突破意义的。一是用写作来开启教学的过程。在揭示课题后，立即进入讨论："你有没有看过月景？谁来说说你看到的月景？""要是你写月亮，准备怎么写？先写什么，然后写什么，接着或最后写什么？"这实际上是一种构思训练，一种写作训练。这种训练置于教学过程之首，调动了学生的兴趣，调动了学生已有的生活经验，调动了学生写作的欲望和思维。以写作构思训练打破了固守阅读本位的格局。二是读与写的交融，不必分清哪是阅读教学，哪是写作训练。比如，在学生畅谈自己"望月"的结构后，立即进入对课文的解读："让我们来看看作家赵丽宏是怎么'望月'的。""请几位同学分别来读读这三部分。想一想，你能读出或听出什么小标题。"这是提示，自然地插入了对文本写作构思的理解，并学会概括文章的内容。其中，有不少关于小标题的精彩讨论：童中月景——童心月景，诗铃——诗灵，等等。学会概括，这既是阅读教学又是写作教学，在这里阅读与写作是融合的。同样，学生对月亮的各种想象也是读与写的交融。试验说明，读与写、阅读教学与写作教学，在教学过程中是"你中有我，我中有你"的关系，关键在于教师的理解、设计以及教学过程中的把握。张老师在最后的教学环节仍然安排了写话的训练，因为前面有阅读与写作相结合的铺垫，自然效果比较好。

当然，《望月》教学过程中有一些问题需要商榷，尤其是对李白的诗的补充及有关的设疑解疑，是值得讨论的。现在似乎有一种倾向，上课就要补充有关材料，以拓宽学生的视野，丰富他们的信息储存，把课内教学与课外阅读结合起来。主旨当然是好的，但是要把握好补充材料与文本的内在关系，不能牵强；要把握好教学目的，不要为拓展而拓展；要把握好度，不要"过度"。

《走近李白》教学中的创造性

　　孙双金老师上的《走近李白》，的确是堂好课。它从整体上体现了新课程的理念与要求，又从一个侧面体现了情智语文的特色与追求，可以解读与研究的方面很多，可供开发与借鉴的元素也很多。不过，通览课的全过程，我以为解读与研究的内容可以归结到一点，那就是创造性。稍加注意，不难发现，孙双金无论是专题与主题的设定，还是教学的设计与过程中细节的处理，都闪现着创造的智慧；创造性地教，让学生创造性地学，师生共同创造教学过程，是这堂课最主要的优点，也是情智语文之魂。

　　1.设定教学专题，让学生在丰富资源的整合中领会中国传统诗性文化的意义。

　　"走近李白"是一个教学专题，是孙双金语文教学研究中的一个重要课题。何为教学专题、教学专题何为、如何设定教学专题是专题教学研究中的三个基本命题。对这些问题，"走近李白"的课例都作了较为清晰的回答，其间无不体现了创造性。

　　"走近李白"中李白的诗及其有关内容，学生在教材中学习过，但并非都是教材中的，即使在教材中学习过，也并非在同一个年级或同一个学期。如今他们在"走近李白"的"召唤"下走到了一起，一起走进"走近李白"这一专题。显然，教学专题有别于教材中已编排的教学单元，它是围绕一个主题，对教材内和教材外的有关内容进行内在关系的梳理，重新组合，形成新的教学单元。可见，教学专题往往是超越教材、超越年级的，主题性、整合性、超越性是其主要特征。教学专题是一个新的教学结构，这种教学结构具有"召唤力"，"召唤"着新的教学资源，激发着学生学习的欲望，开发了学生学习的潜能，把学生引向丰富、生动的教学情境，增加了新的体验。专题教学中，学生的综合比较、概括能力得到了培养，进而形成新的知识框架。这就是"走近李白"给我们的启示，孙双金也在《我教〈走近李白〉》中作了很好的介绍。我还想说的是，教学专题是教材规定以外的"自选动作"，这种"自选动作"可选也可不选，严格地说，这个"选"实际上是自己的创造。"走近李白"专题形成的过程告诉我们，教师不仅是课程资源的使用者，也是课程资源的开发者；不仅是课程的忠实实施者，也是课程的创造者；不仅表现了教育的责任感，而且表现了教者的创新精神。"走进李白"正体现了孙双金对这一精神境界的追求。

　　无疑，"走近李白"的资源远比教材丰富，视野远比教材开阔，但更为有价值的是"走近李白"所彰显的文化意义和文化张力。学习李白的诗，进一步领悟诗中蕴含的意境，欣赏李白的诗情才华，为的是"走近李白"。但是，"走近李白"背后的深层意蕴又是什么呢？孙双金的回答是："对学生进行诗教。"他认为，中国是诗的国度，诗歌浸润了民族文化，启迪了民族智慧，陶冶了民族情操，"诗教是传统文化教育的核心"。的确如此，"中国文化的本体是诗，其精神方式是诗学，其文化基因库是《诗经》，其精神峰顶是唐诗。一言以蔽之，中国文化是诗性文化"[1]。孙双金对李白、对李白的诗有较为深刻的认识与体验，"走近李白"，就是在中国古代优秀诗词的学习中走近中国的传统文化，领会诗性文化的魅力，生长诗性文化的智慧。在全球化进程不断加快的今日，"走近李白"、走近中国传统的诗性文化显得更有价值，也更为紧迫，因为"全球化和地方化是同步的，有全球化就一定有地方化"，"全球化不是同质化"。[2] "走近李白"，意在引导学生重视"地方化"，

---

[1] 刘士林：《中国诗学精神》，海南出版社 2006 年版。
[2] 杜维明：《对话与创新》，广西师范大学出版社 2005 年版。

重视中国传统文化，坚守民族传统和民族精神。其实，"走近李白"，在学习古代诗词中走上"回乡"之路的同时，我们也怀着民族的情怀走向世界，走向现代化。这就是"走近李白"所彰显的文化意义和文化张力。

2. 设计教学过程，让学生在参与教学的过程中领悟与欣赏李白及其诗作的仙气与风骨。

"走近李白"的教学过程如湖水一波又一波，层层涟漪，又如海水一浪高过一浪，高潮迭起，精彩不断。教学过程是需要设计的，未经设计的过程是无序的，也不可能有真正的生成。没有设计就不可能有教学过程。我们强调生成性思维，并不否认更不排斥教学过程的设计，从严格意义上说，教学过程是生成性思维下教学活动设计的完整组合。正因为有精心、周到、巧妙的设计，"走近李白"才会如老师所评价的那样，"浑然天成""流光溢彩"。

"走近李白"教学过程的设计呈现以下特点：以"李白是仙"为主题，以李白的经典绝句为主块，用故事来串连和推进，以吟诵、想象、比较等为主要方法，引导学生欣赏和感悟李白诗的浪漫色彩与巧妙意境，领略和领悟李白的仙风仙骨。

以"李白是仙"为主题。这一主题的设计是以学生感悟与评价的方式来呈现的。"你了解李白吗？"学生在这一问题的冲击下，调动已有的知识，回答李白是"诗仙"。这种以学生主动方式呈现的主题，给人以开门见山的感觉，简洁、鲜明，成了"课眼"，引领着教学进程。教者这种意识是强烈的，而正是这悄悄地点击，起到了恰到好处的"点睛"作用。这种"点击"又是一首诗赏析的小结，另一首诗赏析的开始。

"把庐山的瀑布比作银河，一般的诗人是做不到的。""作为诗仙，一首诗是不能看出他的风格的，我们再看几首李白的诗，是不是有仙人之风？""只有仙人的眼中、心中，才能看到那么长的白发啊！"可贵的还在于最后由表及里、由此及彼的拓展和深化：点化李白"谪仙人"高傲的风骨，点明"李白是人"，是常人。这样，仙人的平民化，诗人的仙化，辩证地融合为一体，主题的贯穿与深化便在教学过程中顺畅、鲜明了。

以李白的经典绝句为教学主块。李白的诗歌近千首，如何选择，如何组合成学习模块？孙双金有两条选择标准：经典的，又是适合儿童的。于是他"将注意点转向了李白的绝句"。因为李白的绝句犹如"清水出芙蓉，天然去雕饰"，是"高声唱出来的，是心中流淌出来的"。最终他选择了《望庐山瀑布》《夜宿山寺》和《秋浦歌》，形成了"走近李白"的组诗教学，一首一首地引导学生吟诵、欣赏、理解。这三首经典绝句成了教学的三大主块。实践证明，三大主块支撑了整个教学，让学生逐步走近李白。这种组合方式平实、清晰、易学。

用故事来串连与推进。整个教学一共安排 4 个小故事，其中李白的《望庐山瀑布》、徐凝的《庐山瀑布》、苏东坡的《戏徐凝瀑布诗》为一组。且不说故事的精心挑选与巧妙编排，只说故事在教学中的作用：故事的讲述与铺陈绝不是教学的附庸物，更不是教学的赘物，而是教学的有机组成部分；不只是为了学生的兴趣，制造一些欢乐的氛围，而是用故事来串连教学使之成为整体；更为重要的是，让学生从比较和欣赏中理解了李白诗的意境之高远，气势之磅礴，以及李白诗仙的高贵、高超与风骨。所以，故事的推进不是一个程序的概念，而是极具深度意蕴。

以吟诵、想象、比较等方法来领悟。孙双金说得好："中国诗歌更像中国的写意画，追求的不是形似而是神似，诗歌教学更要关注内在的神韵。""诗歌教学要超越理解，强化欣赏。"这样的观点极有见地。是的，诗歌是一种想象世界的方式，是现实世界的折射。李白诗之伟大，也许就在于此；而"走近李白"教学之精彩正在于它应和了这种"想象""感悟""欣赏"的方式，让学生真切地感受到了现实世界折射的斑斓与奇妙。

3. 开发和利用教学细节，让学生处在积极的思维状态，感受和生长智慧。

"走近李白"教学的精彩，与孙双金非常敏锐地发现教学中的问题、创造性地开发并利用细节分不开。

情智语文成功的关键在于教者本身的情感和智慧水平。情感内涵中的道德感、理智感、审美感，以及智慧内涵中的观察力、敏感性以及创造力，都影响着教学过程，影响着教师教学风格的形成，与此同时也影响着学生情感的发展及智慧品格的培育。孙双金原有的文化积淀、情感品位、思辨水平，加之教学本课前大量的阅读准备、周到的设计安排，以及设计中对教学情景的超前想象，都让他面对教学中的细节，心中有数，手中有法，从容应对，能在瞬间生成处理的对策，使细节熠熠生光。以下一些要点值得我们思考与借鉴：

对学生吟诵的反应。对朗读的反应，孙双金不是止于一般性的评价与鼓励，而是逐步提高要求，从朗读走向吟诵，并提升吟诵的水平。如此，对诗的吟诵情况的反应已成了教学的有机组成部分，其本身成为教学内容和要求。你的吟诵"已经把我带到半空中了"，"把我带到了八重天，还没有到九重天"。这妙在何处？妙在与诗中的"飞流""银河""九天"相呼应，吟诵中我们似乎在追寻着那高高的"九天"。"你认为怎么读才能把古典的韵味读出来呢？""慢一点儿，缓一点儿，悠扬一点儿。""以后要根据诗人所处的环境、心情，读出它的高低、抑扬顿挫。"一个"古典韵味"的难点竟被化解得如此简单、迅速。真智慧、大智慧总是不张扬的，总是悄悄地展开的。

对关键字眼的讨论。"危楼高百尺，手可摘星辰"，"告诉我，你的手摘过什么？""摘过水果""摘过鲜花"……有一个学生竟然说："我摘过星星——树上的假星星。"这是一个很有意思的细节：第一，只有在宽松、民主的氛围中，学生才可能毫无顾忌地作答；第二，学生摘的是树上的假星星，而李白却说可摘天上之星，教者把"天上""树上"摆在一起，让学生在对比中领悟"高"的含义；第三，"只有诗仙李白才能想到手能摘到天上的星星啊！李白已到了一种仙境啊！"在嬉笑中，又回到主题，一个庄重的话题——"李白是诗仙"走进了学生的心灵深处。就是这么一个"摘"字生出了如此丰富的内容，这就是创造性。对《秋浦歌》中"愁"字的处理同样充满智慧。

对浪漫主义色彩的讨论。"想象"与"夸张"的确是李白诗的特点，李白诗处处漫溢着浪漫主义的色彩。值得注意的是，孙双金不是把想象、夸张作概念式的呈现，更不是让学生机械地记忆概念，而是让概念来自学生的讨论，来自学生自己的理解和概括。当讨论到"飞流直下三千尺"，用什么词来形容"夸张"，有学生说"疯狂的夸张"时，孙双金在调侃中说："用疯狂来形容诗仙，不雅，搞俗了。"就在笑谈中，道出了诗仙的高雅品格，理解了"极度夸张"的准确性。

对不同意见的讨论。徐凝的《庐山瀑布》当然在李白的《望庐山瀑布》之下，但不能说徐凝的诗毫无可圈之处。就是在理解"今古长如白练飞"时，学生才会有徐凝诗的"柔"，李白诗的"刚"的感觉，进而对现实主义与浪漫主义有了感性的认识；同时，孙双金对徐凝的勇气与学生发表不同意见的勇气都作了肯定。可以说，问题不在谁好谁次，而在于在比较中有了自己的评价标准和评判的勇气，这比简单的结论更有价值。

对学生"不顺从"的处理。用什么词来形容想象，一位学生竟然当众回答："没有把握的，不说！""无所谓！"孙双金不气不恼，而是顺水而下，把问题引向"仙人境界"的理解："厉害！达到了仙人的境界！超凡脱俗！"而正是老师表扬的"超凡脱俗"被学生迁移用来形容"想象"。正如加拿大教育现象学家马克斯·范梅南所说："机智将小事变得有意义"，"幽默的机智创造了新的可能性"。

"走近李白"教学实践中的智慧跃然纸上，生动的情景浮现于眼前。教学过程总是由一个个细节联结、组合成的，因此，细节不是孤立的，离开教学目标和教学的全局，细节就失去了存在和开发的价值；细节不开发不利用就是教学中最大的浪费，一旦被开发和利用，就会鲜活起来，指向了学生情智的发展。这是什么？这就是教育的智慧。而孙双金、孙双金的情智语文正在智慧之路上迅捷地行走，走近的不仅仅是李白，也不仅仅是传统的诗性文化，也是学生语文素养的全面提高和个性的丰富。

创造性，"走近李白"成功的根源；创造性，情智语文之魂！

情智田野里绽放的一朵奇葩

——评述孙双金《儿童诗》教学

说到孙双金，自然想到他的"12岁以前的语文"，自然想起他的"情智语文"。12岁以前的语文、情智语文编织成了孙双金的语文世界。在这个世界里，12以前的语文是他研究的领域和对象，像是一片蔚蓝、纯净的天空；情智语文则是他坚守的教育核心理念和所追求的境界，像是一片希望的田野。在蓝天下，在他的田野里，常常绽放出一朵朵绚丽的鲜花。我欣赏到一朵小花，名字叫"儿童诗"。不仅是我，所有听课的人都为之击掌，兴奋不已。

其实，说小并不小。言其小，是因为它太可爱了；言其不小，是因为它小中见大，是一朵奇葩，透射出浓浓的情趣和大智慧；而这样的透射，又是"潜伏"着的，是悄悄的，因而，它仍然是"小"的。也许，这正是孙双金语文世界的魅力。让我们来欣赏这朵奇葩，看看孙双金是如何揭开童诗教学密码的。

一、崇高的立意：让孩子们会说"我赞美"

《儿童诗》教学之所以如此有魅力，是因为孙双金在自己的心灵深处对诗有着深刻的认知和体验。诗，是最生动也是最深刻的教育。他记着孔子的话，"不学诗，无以言"；他记着日本作家池田大作的话，"诗是联结人、社会、宇宙的心"；他也记着高尔基的话，"诗不是属于现实部分的事实，而是属于那比现实更高部分的事实"；他还记着雪莱的话，"诗人是立法者，是民族和时代的先知"。孙双金之所以在教过李白、杜甫等古典诗词以后，又以"儿童诗"为专题，自选教材进行教学，正是掂量到诗教的特殊价值和意义，尤其是对儿童心灵的陶冶，对语言敏感性、高尚性的捕捉，对想象力的激发，有着微妙的又是不可估量的影响，因而，他的诗教立意是很高的。从整堂课看来，孩子们在孙双金的带领下，沉浸在《阳光》和《太阳》的诗境之中，沐浴在灿烂的温暖的阳光里，沐浴在快乐与幸福之中。在课堂上，我们听到孩子们的一个个回答、一次次吟诵、一句句创作，似乎听到的是三句话："我赞美""我快乐""我幸福"。是的，里尔克曾经就这么讲过："将诗人的工作阐释为'我赞美'。"也许这可看成是今天的教育家的恳求：别忘了我们的使命是引领人们追求崇高。孙双金构筑童诗的教学，让孩子们会自觉地"我赞美"，就是引导孩子们追求伟大与崇高。这是孙双金教学的立意。从这个角度看，孙双金正在努力使自己成为一个语文世界的"立法者"，成为崇高的引领者。

二、坚定的信念：让"未被承认的天才"真正成为天才

《儿童诗》教学之所以这么有魅力，是因为孙双金的心灵深处还永远住着儿童。儿童是谁？儿童在哪里？有的人不知道，有的人虽知道但很模糊，有的人不模糊但很不坚定。孙双金不。他是语文教师，但他首先是儿童研究者。在孙双金的语文世界里，语文教学与儿童研究不是两回事，而是一回事，两回事融合在一起，就是美国哈佛大学著名学者达克沃斯所说的"教学即儿童研究"。说真的，在孙双金的课堂里，尤其是在这节课教学中，你分不清哪是在教学，哪是在研究儿童，研究儿童已不仅仅是教学的前提条件、基础，而是已"融化"在教学之中。孙双金发现了儿童的什么呢？他发现儿童在哪里呢？"儿童是未被承认的天才。"在孙双金看来，儿童首先是天才，因为在儿童的生命内部隐藏着巨大的发展和创造潜能。这是他坚定的信念。他承认儿童是天才，才会在教学一开始就说，要把孩子"变"成诗人；才会

让孩子们去改诗，"第三句'阳光在溪上流着'，我认为可以改一改，改得比诗人写的更好"；才会让孩子们添加一句诗，"阳光在什么地方怎么样"；才会让孩子们创作一首诗。他的那段话："同学们，能写一句是小诗人，写两句也是小诗人，写三句就是中诗人了，如果你能写四句，就是大诗人了，如果能写五句、六句就是大大诗人了。"尽管"大大诗人"是孩子自己说的，但这一切不是戏说，不是"忽悠"，而是发自内心的认可与赞赏。孙双金的这一堂课，包括他所上的其他课，都是让"未被承认的天才"真正成为天才，成为真正的天才。可以这么说，孙双金的语文世界，是激发儿童成为"诗人"的世界，是在登山过程中成为天才的过程。要知道，坚定的信念会变成伟大的力量。

三、诗与儿童特质的对接：让想象的翅膀飞起来

《儿童诗》教学的魅力还在与他准确地把握住了诗的特质：想象。而且，他又准确地把握住了儿童思维的特质：想象。孙双金正是把诗的特质和儿童思维的特质连接起来，让想象在教学中"接榫"。想象为月光，无处不洒到，想象是自由的、飞翔的，只有想象尚未抵达的地方，没有想象不可抵达的地方。有人说，你可以限制我的脚步，但约束不了我想象的翅膀；你可以遮蔽我的双眼，但遮不住我心中想象的光芒。孙双金则说，想象可以越过高山、越过平原，穿过森林，穿过大江，进入儿童的心灵。是的，想象是诗之所以成为诗的密码与力量，想象是儿童发展的第三种力量与密码。当密码与密码对接的时候，当力量与力量融合的时候，《儿童诗》教学成功的奥秘，就自然被解开。想象已成为孙双金语文世界里飞翔着的"探索器"。你听，孩子们为诗加上的一句句："阳光在树上睡着""阳光在树枝上荡着""阳光在走廊里玩着""阳光在我脸上吻着"……何止是语言运用，更重要的是孩子展开了想象的翅膀。就在飞翔、探测的时候，他们思维活跃了，心灵开放了，智慧与情趣都飞起来了，第三种力量已成为儿童不可或缺的重要力量。

四、动词开发：让诗充溢生命力和灵性

曾有一位特级教师对我说，香港和内地老师教语文时，对词性的关注重点是不同的，内地老师关注名词，而香港的老师则关注动词。他接着说，关注动词，可以使文章"活"起来，使语文教学"活"起来。对此，我未去考证，不过，我想，不管实际情况如何，关注词性教学，抓好动词教学是很有道理的。孙双金深谙此道，深谙诗歌中动词的重要，于是，他整堂课都在致力于动词的开发。他从原诗中的四个动词"爬""笑""流""亮"开始，让儿童读出韵味，想象出画面，想象出阳光是个调皮可爱的小孩。然后生发出数不清的动词：跳、跑、跃、滑、舞、睡、荡、玩、亲、冒、馋、闹、叫、探、拍打、抚摸、召唤，等等。一个动词就是一个生命，一个动词就是一种情景，一个动词就是一种情感。动词在孩子们心里飘荡着，在孩子们的脑海里跳跃着，在孩子们的想象中舞动着，于是，诗有了生命，诗教有了生命，孩子们的思维和想象有了生命，有了灵性。这是动词开发的最大价值。我们的讨论再往远处走一走，12 以前的语文天空之所以如此美丽而宽广，情智语文之所以如此生动而深刻，都可能是因为孙双金善于用动词去开发文本的生命，再去开发语文的生命，再去开发孩子们的生命。于是，灵性自然就"探"出了小脑袋，就会像小脚丫在阳光下爬着、滑着、跃着、舞着……

五、学会学习的诱导：让自己变成儿童

整个教学过程孙双金既像老师，又不像老师。像老师，因为他确实比孩子们懂得更多也更深，他始终在引导，在教学。不像老师，因为他像个儿童，这也"不懂"，那也"不行"，总是在恳求孩子们帮助他。孙双金就是在"像"与"不像"中穿梭，变换角色，改变方式，诱导孩子们自己学，学会学，创造性地学，也享受学习。准确地说，孙双金寻找到了诱导儿童学习的根本办法，那就是让自己"矮下去"，让自己成为学生帮助的对象。他像孩子一般发出疑问："阳光没有手，又没有脚，怎么爬呢？"他像孩子一般体味："嗯，阳光在窗下留下小脚印，很活泼，阳光像小朋友，阳光和人一样

活了，能动了，对不对？"他像孩子一般发出赞叹："你真是个大诗人，你太厉害了。"他故意带有"威吓"，激将孩子："诗人写的也能改呀？！谁来？"最后他说："课堂上的你们让孙老师很感动，谢谢你们！"把自己变成儿童，是一种艺术和智慧，正是自己的"变小"，诱导了孩子的大气志；正是自己的"变矮"，诱导了孩子的高追求。往深处讲，当自己变成儿童的时候，教室里三个儿童在相遇、对话：教室里的儿童、诗中的"儿童"，还有教师这个"儿童"。这是多么美妙、感人的情景啊！当大家都在为"以学生的学为核心"而苦苦寻找办法的时候，孙双金却巧妙地化解了难题，他成功了，因为他把自己当作了儿童，"让"出了学生学习的权利，"让"出了学生创造的空间，"让"出了极为和谐的师生关系。

　　阿根廷的博尔赫斯曾经讲过，诗歌只允许卓越。何止是诗歌呢，孙双金的《儿童诗》教学不也是这样吗？一个苹果里有多少颗种子，是可以数得出来的；可是，一粒种子可以结出多少个苹果却无法预测。孙双金的《儿童诗》教学不正是这样吗？

第三辑

语文教育家和知识分子

每一个有追求的名师都应该

关注自己的精神发展，

整理自己的思想，

不断提升自己的精神品格。

语文教育家，

首先应当是知识分子。

洪宗礼：站在学术的高地上

洪宗礼先生有自己的风格。

风格，在古希腊语中，是表示一个长度大于厚度的不变的直线体。洪先生的风格正是这样的一个"体"。这个"体"有许多重要和精彩的侧面，每一个侧面都有光亮的色彩。不少专家对洪先生的诸多侧面作了评述和分析，都有独到和深刻之处。不过，我总觉得其中有一个侧面我们关注还不够，评述的空间还很大。正是这个侧面最能代表洪先生思想的奠基性和深邃性，抑或说，正是这个侧面让洪先生之"体"更有立体感，更有厚重感；而且，这个侧面已不仅仅是侧面，而是"体"的基座，也成为"体"的高端。这个侧面，这个基座，这个高端，就是洪先生的学术，他的学术思想、学术品格、学术研究方式，最终凝练成他的学术智慧。洪先生之所以能站立，而且站得高，行得远，就是因为他站在学术的高地上。

一、洪先生有强烈的学术追求和期盼

洪先生清楚地知道，自己是位中学教师，位置是讲台，他必须站在讲台上。但是，他却这样说："我要站在讲台上，还要站在书架上。"书架，是学问者的位置，是研究者须臾不可离开的地方。站在书架上，就是要站在学问的园地里，用他自己的话来说，"要站在学术前沿"。这二者的结合，就是他自己的界定：学者型的教师。应当承认，中小学教师的主要任务是把课上好、把书教好——做一个称职的、优秀的教师已属不易——而要在上课、教书的同时，研究学问，追求学术，做学者型的教师，实在很难很难。但洪先生的高明之处，就在于他有执着的追求，他心底里燃烧的已不是教学田野里的火焰，在学术的殿堂里也闪烁着他理论学术的烛光，更为重要的是，他把教学田野之火与学术殿堂的学术之光完美地融合在了一起。他的高人之处，就在于他最终实现了这一追求。

学者型的教师是什么样的？洪先生用了两个比喻：高地与帆。这是一种想象，是一种隐喻。美国学者小威廉·E·多尔说：隐喻比逻辑更有效。是的。高地，让我们想象到学术之崇高、学术之艰深，犹如罗曼·罗兰所说：伟大的人物有伟大的心魄，伟大的心魄犹如高山峻岭，不怕风雨吹荡，不怕云雾包围。……在高山之巅，肺中的呼吸换过，脉管中的血流也换过。这时，你回到广袤的平原，就获得迫近永恒的力量。洪先生偏偏要登上这高山之巅，去呼吸，去瞭望。帆，船行之动力所在，船行方向之标识。洪先生说，帆就是学术，就是学术智慧。他进一步解释：这帆"是人工无法打造的最好的帆"。显然，他认为学术是无法用人工的外力打造的，打造的一定不是学术。但是，无法打造并不等于无法造就。造就之秘诀，就是静下心来，老老实实研究，他知道，"好文章在孤灯下"，大学问在静水深流中见气象。

对学术的渴求和期盼，让洪先生凝聚在研究上。他说：我姓教也姓研，姓改也姓研。研究，造就了学术；学术，来自于研究。只教不研，只改不研，就可能使教学、改革陷入"盲人骑瞎马"的泥潭。不仅如此，洪先生还十分尖锐地指出，"不改不研等于自戕"。研究成了学者型教师的生长方式，成了洪先生追求学术的主要途径。通过研究，他站在学术前沿，回望语文课程研究的"来龙"，又前瞻语文课程的"去脉"，把握语文课程发展的深度与根本走向。

说到这儿，我们不难理解学界专家对洪先生的评价。孙绍振教授说："博士当如洪宗礼。"全国人大常委会原副委员长许嘉璐说："洪老师，正是那种在路上遇见时应在三步之外就向他深深鞠上一躬的人！"教育部原副部长王湛说："洪宗礼，教育家。"也许，我们可以作这样的概括：洪宗礼风格之"体"，是学术之"体"，因而，他不同于一般的特级教师，有别于一般的教材主编。正因为此，我们相信"洪氏语文"将会走向"新泰州学派"。

二、洪宗礼的语文课程建设形成了独特、精深的学术思想

在西方，康德与叔本华、尼采的风格是不同的。康德是哲学理性的代表，他的思辨确立了西方哲学的规范；叔本华、尼采则代表哲学非理性的质疑，使哲学思辨诉诸情感与诗意。但，他们的共同之处是，都有自己广博精深的学术思想。无意将洪先生的学术风格去应对康德、叔本华或尼采，而意在说明洪先生的学术思想既追求理性，又诉诸情感；既长于思辨，又善于想象。在理性和感性之间，在思辨与想象之中，洪先生的学术思想得以淬炼。

说及学术，总离不开学科，因为，学术是专业化程度最高的学问。洪先生的学科是语文，他的学术思想首先是语文的思想。其语文学术思想可以用"链"和"说"来概括。洪先生尝试把语文的各个要素及其构成关系、规律、序列编成网状的语文教育"链"。洪先生说："所谓语文教育'链'是指从宏观与微观的结合上相对地比较客观地反映语文教育的全貌及其内在规律，揭示语文各要素之间的逻辑联系及其体系建构的基本原理。"语文教育"链"，分别从内容维度、过程维度、关系维度进行建构，覆盖了认知、动作、情感三个领域，整合了各个要素。洪先生的这一学术思想指向体系、指向原理、指向规律，最终指向提升学生的综合语文素养。语文教育"链"又是由"五说"语文教育观来支撑的。正如他自己所言，"工具说、导学说、学思同步说、渗透说、端点说（发端说），试图以此为理论基础，分析和解决语文教学中的诸种矛盾"。"链"与"五说"体现了洪先生语文学术思想的整体性、系统性、原理性和创新性。

学术思想贵在深刻。洪先生正是这样，尤其是他关于语文工具性与思想性的关系的论述。其一，在分析了语文和语文课程教材的主要矛盾与本质特征后，洪先生作出如下判断："语文作为形式学科，它具有工具性（语言是核心）；作为内容学科，它具有思想性或人文性（思想是灵魂）；作为综合性基础学科，它是语言和思想的统一体。""工具性、思想性附于'一张皮'。"

其二，基于工具性和思想性附于"一张皮"的认识，洪先生进一步分析了工具性："'语言是思想的直接现实'，语文是学习的工具、交流的工具、思维的工具和文化传承的工具。这样的工具完全不同于生产工具（包括现代的信息工具）。但另一方面，如果把语文看作纯工具，显然也是错误的，因为语言文字是'表'，思想内容是'里'，两者始终存在于一个不可分割的统一体之中。"洪先生总是从更深的层次去把握语文的工具性，其学术的深刻性可见一斑。

洪先生关于语文的学术思想，没有停留在特点的分析上，他又从语言的本质入手作更为深入的探讨。语言是存在的家。但是，他的追求是，语言究竟存在何处。海德格尔曾这么说："一些时间以前，我曾经极其粗略地称语言是存在的家。如果人通过他的语言居于他的宣告和召唤中，那么，我们欧洲人和东方人也许居于完全不同的家中。"海德格尔说的是语言的民族性，即语言居于自己的民族家中；不同民族的语言实质是在宣告自己民族的存在，也在召唤自己的民族，汇聚在自己的语言家中。洪先生正是这么认为的。他说，母语定义的核心要素是"本民族"，"任何一个民族的语言文字不仅仅是一个单纯的符号系统，它反映了一个民族认识客观世界的思维方式，蕴含着民族精神的深厚积淀：它是维系民族精神和民族感情的心理纽带，是民族生命的组成部分"。洪先生对语言的民族性，阐释得如此清晰、如此深刻。

海德格尔曾对不同民族语言能否对话作过两次不同的判断。在认为欧洲人和东方人也许居于完全不同的家中后，他说："因此，两家的对话仍然近于不可能。"但是，后来他又这么说："语言的本质应该提供一种保证，即：西方的言说和东方人的言说将进入对话，某种从同一源头涌现出的东西在此对话中咏唱。"看来，对话是完全可能的，因为，"同一源头涌现出来的东西"提供了一种保证。洪先生的思想与此相同，他从文化的角度，阐述了世界母语发展的多元化走向，形成的文化主张是："为了保护人类的多元文化，必须尊重、保护和包容世界民族语言的多样化。"洪先生所提供的保证，就是母语教材的发展与创新，既保护本民族母语的主体地位，提升民族语言的尊严，又打通与世界各国母语、语文、文化的联系。母语边界的坚定及开放，来自洪先生关于中外母语的比较研究。文化，也许是洪先生所说的"总开关"。当然，在"总开关"的"开"与"关"之间，育人的目的得以实现。

三、洪宗礼有优秀的学术品格

洪先生实际上站在两块高地上，一块是学术，一块是道德。洪先生的学术研究充溢着道德伦理意义，在他心里有一块良知璞玉，那就是对学生、对社会、对民族的责任感、使命感。道德良知必然铸就学术的品格，"道德文章"是对洪先生最好的概括也是最好的评价。

直觉告诉我们，洪先生的学术品格表现在他的语言风格上。洪先生的语言十分个性化，是从他的心底里流淌出来的。粗粗看起来，像是田野里的花朵，我们似乎闻到了清清的芬芳，那么平常、朴素，但是细细品味起来，又像是书斋里的一本经典，我们领悟到了其中所蕴含的哲理，那么独到、深邃。精致而粗犷，大气而细腻，通俗而深刻，这就是洪先生的语言风格。有人把洪先生的言说编成"语文教育随想录"，读着的时候，你总会有一种感觉。这种感觉，像是海德格尔所说的，是与洪先生"在对话中咏唱"；又像是巴赫金所描述的，是洪先生语言的一种狂欢，思想的腾飞。这是洪先生的话语形式，但往深处说，其实也是洪先生的科学研究方法，更是洪先生学术与生活的立场。

风格是特殊的人格。风格与学术品格统一在人格之中。如果用几个关键话语来概括洪先生的学术品格的话（当然这是不够的，限于篇幅，只得作简单的概括），那么，其一，洪先生追求学术平等。在学术面前，他的主张是，不仅"我认为"，还应鼓励、提倡"你认为""他认为""大家认为"。这种平等的学术氛围，带来了学术的敞亮，因而有了学术的发展。依循学术平等的原则，洪先生主张要与学界交朋友，甚至提出"不妨有点江湖义气"。"学界的江湖义气"意在讨论时的坦诚，争辩时的"亮剑"。其二，洪先生提倡的学品、学风是敢于怀疑，敢于挑战。他说："'冒犯'权威，也是挑战和尊重权威的另一种形式。""怀疑权威理论，也是一种研究心。创造性思维往往是从怀疑开始的。"哲学来自对周围世界的惊异，学术思想来自对问题的思考。值得注意的是，洪先生在质疑、思考中建构起自己的学术哲学观。其三，在对待人类文化方面，他提倡"搬"。"搬"就是借鉴。他勇敢地说："财富、知识、智慧，包括母语教育经验，未必都是'中华牌'最好……有如此好处，何不'搬'之？"所以要理直气壮地"搬"，但不能"一切照搬"，立足点是自我发展、自主创新，"搬"中应有"化"，"搬"中应有"创"。因此，洪先生"思接千载，神通万里"。其四，在研究与建构的方式上，洪先生注重"模糊的科学，科学的模糊"，追求科学性、追求整体效益。这是不完整的概括，即使这样，我们完全可以说，洪先生的学术品格，表现为他精神的自由、思想的独立、理性的深刻、表达的生动。总之，我们看到了一个站在学术高地的人——洪宗礼。

洪宗礼，学者也。

王栋生：真正的知识分子和语文教育家

一、"农夫"自述：王栋生的精神自传

王栋生先生的自述，一以贯之的是深情、真切、敏锐、细密，以及叙述中潜伏着的思想的锋芒。读着读着，总有怦然的心跳，总有突发的想象，总让你在情不自禁中"站立"起来，眺望"前方"，回味教育与人生的"常识"——洪劬颉先生所描述的三种意象，总在眼前浮现。

和所有伟大作家一样，王栋生的自述是一部精神自传——这是美国作家梭罗对帕斯卡尔作品的一个评点。我无意把王栋生与帕斯卡尔相提并论，我想说的是，王栋生用自己的文章、著作，梳理和讲述自己的精神追求、精神发育与精神传递。王栋生之所以一直被人们所关注、所崇拜、所研究，是因为他的精神、思想与人格。我还想说的是，王栋生的自述具有标本的意义：一个有追求的名师都应该关注自己的精神发展，整理自己的思想，不断提升自己的精神品格。

和所有的作家又不完全一样，因为，王栋生还是一个教师。他的岗位在讲台，他的精神自传是在讲台上完成的——讲台成了他精神成长的摇篮。可以这么说，王栋生一生的站立，首先是在讲台上；人生的前方，首先是从讲台开始；人生的常识，主要是在讲台上孕育的。这样，他就以两种身份成了学生的精神导师，在精神传递上具有更完整的意义，具有更强大的力量。

这，也是一种标本。

王栋生的一片土地，是种隐喻。校园——土地，教室——土地，语文——土地，可见，王栋生对"土地"怀有极深的感情，一种割舍不了的深情。一个对土地眷恋的人，必然热爱他的母亲，热爱在土地上生活着的所有的人，这是一。土地，必定和田野联系在一起。田野，真实、自然、丰富、开放，无限的风光，可见他胸襟的广阔。当然，他的语文教育也是田野的，因而有广大的视野，有扎实的作风，有现场的工作方式和研究方式，这是二。在土地上耕耘着的是农夫。那是一幅多么感人的情景啊："春雨中，蹲在田头，抓起一把泥土，用力捏住，让它从我的指缝中油油地挤出来；虔诚地播撒每一粒种子，秋天时，它们会成为一个世界……"他衷情、虔诚，他耕耘、期待，他是在"为未来耕作"。这是三。其四，他是把他的语文教育，把整个教育当作农业而非工业。这是王栋生对自己的精神发育和精神传递的深度解读。由此看来，王栋生的精神自传，是一个"农夫"对田野，对天空，对阳光，对庄稼的向往，对自己精神经脉的把握。他的心田里早就播撒了一颗真善美的种子。"农夫"的自述，精神的自传，二者就这么天然地融合在一起。王栋生是深刻的、尖锐的，是毫不留情的，是那闪亮锋利的犁耙；但他又是诗意的、温情的、柔软的，像那和风和细雨。

王栋生的土地，又化作一个人的讲台。这是一种修辞方法的转化，但精神自传的深意没有转换。一个人的讲台，犹如一个人的灵魂，是一组杰出的要素构成的宇宙。因此，一个人的讲台不狭小，一个人的讲台也不孤独。就在王栋生的讲台上，高高地飘扬一面旗帜，旗帜上永远写着：知识分子、语文教师、人的教育。他是语文教师，但首先是知识分子；是知识分子，让他成为最深刻的语文教师，成为语文教育家；无论是知识分子，还是语文教师，他都忠贞不渝地进行人的教育。愿意也好，不愿意也罢；承认也好，不承认也罢，王栋生已成了一个教育流派，特征那么鲜明，影响那么深远。

二、知识分子的人格与品格

好多好多年以前，一群有知识的人，坐在咖啡馆里，满怀激情，纵论天下大事，关注社会，关注民生，关注祖国和民族的未来。后来，人们把这样的有知识的人称为知识分子。社会需要知识分子，需要知识分子以他们的知识、真理和道德价值去影响管理者的文化政策，去影响社会，唤醒民众，推动民主化的进程。用英国肯特大学社会学教授费兰克·富里迪的话来说就是，知识分子可以"对抗庸人主义"。但是，后来情况发生了变化，知识分子的精神逐步缺失，有的沦为"庸人"，成为文化"智残人"。于是学术界、社会上有了一股强大的呼吁：知识分子到哪里去了？

是的，在社会需要知识分子的时候，知识分子到哪里去了？可贵的是，王栋生这位知识分子，他没有消退和躲藏，更没有逃遁。他一直勇敢地坚守自己的岗位，守望自己的社会良知。我们说王栋生是知识分子，是真正的知识分子，是因为他具有知识分子的身份特征，具有知识分子的高贵品格。

1. 他跨越了自己的职业和专业领域。无须讨论，知识分子都有自己的职业和专业领域，但是职业与专业是不能脱离社会的，知识分子的可贵之处就在于他的跨越。布尔迪厄的观点是，在跨出他的专业领域时，运用自己的权威，对政治状况作出评论，他才算是迈向了知识分子行列。鲍曼有同样的阐释："'成为知识分子'这句话所意味的是，要超越对自己的职业或艺术流派的偏爱和专注，关注真理、正义和时代趣味这些全球性问题。"王栋生正是这样勇敢而自觉跨出自己专业领域的人。他不是不爱自己的职业，不是要离弃自己的专业，他的跨出，是为了更好地进入。这是一种道德良知和道德作为。正因为如此，我们才不难理解，为什么王栋生在春寒料峭的1978年，要混在高校马列主义教师和省级机关干部中听胡福民的"内部报告"，实践是检验真理的唯一标准；为什么在一位校长宣扬"不加班加点就考不上名校，就过不上有尊严的生活"的时候，他想到的是，今天的教育会给几十年后的社会留下什么，为什么他如此尊重来自农村的学生和家长。跨越职业和专业领域，王栋生表达的是社会责任感和道德启蒙的使命感。知识分子永远是一个"成为"的过程，王栋生恰恰在"成为"的过程中不断迈出自己"成为"的步伐。

2. 他具有人格独立、意志自由的知识分子的品格。有人说，知识分子

"为思想而活，而不是靠思想生活"。的确，"为"与"靠"是完全不同的境界，"为"，就一定会努力、会奋斗，思想也就会因此汩汩涌动。无疑，王栋生正是一个"为思想而活"的知识分子，是一个公认的思想者。王栋生的"为思想而活"集中表现在他的批判品质和批判方式上。他的批判品质是："我有话要说。"而每次说总是充满批判的"火药味"。他的批判方式，则是他的杂文和演讲。"不跪着教书"，"无非"是他永远的思想尊严和独立的姿态；"致青年教师"，"无非"是他和青年教师最真诚的思想交流；每一篇杂文和每一次演讲，"无非"是他发自思想深处的呼唤。王栋生的批判虽然尖锐、尖刻，但却是无限真诚的。因而，他的批判是为了建构，或者说，他的批判也是另一种积极的建构。谈及王栋生的批判，"无非"是赞扬他的人格和他的意志。但不可回避的是，人格的独立，意志的自由，常使他处在风口浪尖，用他自己的话来说，"作为面对现实的思想者，会是痛苦的"。面对痛苦，王栋生从没胆怯，更没退却，因为他牢牢记住，"不能辱没知识分子这个称号"。

3. 他不断塑造自己，总是处在创造的紧张状态。对知识分子，人们有不同的看法，有的对知识分子的评价似乎不太高。美国前总统艾森豪威尔就这么说过："我听到过一个关于知识分子的非常有趣的定义：一个人用比必要的词语更多的词语，来说出比他知道的东西更多的东西。"在一些西文中，知识分子一词本来就有"夸夸其谈的人""空谈家"这样的含义。实事求是地说，知识分子是有弱点的。王栋生对此非常警惕，不断地克服知识分子天性上的不足，刻苦地塑造自己，让自己总是处在积极、紧张的创造状态。他最喜欢的一句话是："再朝前跨一步。""朝前"，是他的追求，因为"前方有光明"；"跨一步"是他的行动。"教师应当是创造者"，与其说是他对青年教师的要求，还不如说，是他对自己最严格的要求。创造，让他成为学习者，创造，让他成为写作者。这一切，他都不是虚晃一枪，而是实实在在；他都不会用"比必要的词语更多的词语"，而是实实在在；他不会夸夸其谈，而是实实在在。他说："我最有价值的体会是：我知道自己是谁。"他是谁？他是真正的知识分子。

三、语文教育家的境界与方式

李镇西先生曾披露过这么一个细节：某教育报以"三十年三十人"为线索，编一个栏目。这"三十人"就是在全国范围内选三十位有影响的语文教师。李镇西先生马上问："有王栋生老师吗？"并告诉编辑："他对中学语文教育包括高考辅导烂熟于心，而且高考成绩斐然。……他是真正的语文教师。我不知道在当今中国，还有哪一个语文教师能够更有资格代表改革开放以来真正的语文教师？"李镇西先生还说，"三十人"中如果没有王栋生，就很难有人入选了。

这是真话，不过倒是一个值得深思的问题。当知识分子跨出自己职业和专业领域的时候，他忘掉自己的职业了吗？当过度"职业化"消解知识分子特性的时候，他舍弃了自己的专业领域了吗？我敢说：王栋生没有。知识分子是王栋生高贵的人格特征，而语文教师永远是王栋生最自豪的专业身份。他不仅知道自己是知识分子，同样知道自己永远是个中学语文教师，而且永远是一个"普通教师"。

王栋生这个语文教师，不普通。王栋生的语文教育不普通。他的不普通，我认为，在于他的崇高境界，而高境界是他的高理念使然。高理念、高境界形成了他语文教育的特有方式，进而形成了他鲜明的个性和风格——像是众多合唱声中那独特的领唱者的旋律，像是百花园中那一丛与众不同的鲜花。他的语文教育，沉着、从容、大气，激情澎湃中透露深邃，幽默讽喻中富有哲理，沉潜深刻中蕴含才情。总之，王栋生的语文教育是独特的。

不普通之一，是他的"语文"与"非语文"。王栋生常常有这样的沉思："大千世界，芸芸众生，有时，看着成年人的各种不同的言行，我会出于职业习惯，去想象他曾有过一个什么样的童年和少年，他接受过什么样的教育，他曾经有过什么样的老师……"他是在思考语文教育吗？是，又不是。说"不是"，因为他思考的是语文以外的教育，他是超越语文教师的教师；说"是"，因为语文教育必然会触及这些问题、应该触及这些问题，是因为语文教师必须有这么宽广的背景。说"不是"，因为他引领学生在生活，在体验，在思索；说"是"，因为语文的内涵与外延与生活相等，语文就是一种生活，语文学习就是学生的一段人生经历。在王栋生看来，语文有自己的学科边界，但边界应当开放，开放的边界才会有开放的语文；语文在"非语文"的状态，才会成为"大语文"，才会成为"生活语文"，成为"人生语文"。因此，王栋生的"非语文"正是为了语文，正是为了提升语文，追求真正的语文。王栋生的语文教育给学生打开了一扇又一扇通向社会、通向世界的门窗。

不普通之二，是他的非课之课。王栋生所在的高三年级，在他的倡议下，决定让学生利用寒假写一篇社科论文，"课"的名称叫，"高三社会科学论文写作"。请注意：这是要命的高三——每分钟都是重要的，都应用来上复习备考课；这是社会实践——当下关键的不是什么社会实践，而应是一堂堂迎考训练课；这是论文——社会实践的论文能提高学生应试的作文水平吗？但王栋生不这么认为。在他的理念中，这就是课，社会实践是最重要的课，社会科学论文写作是最重要的作文课。正是这样的"非语文课"成了学生最喜欢的"语文课"，正是这样的"非语文写作"成了锻造学生文思的"语文写作"。这样的课，有眼界，有品位，有深度，这是王栋生的大气。马克思曾写过这样的诗句："在澎湃的思想之上盘旋，／在那里，我找到了语言，／在那里，我执着于我的发现。"看来，非课、非语文课，是王栋生让语文、让语言在澎湃的思想上盘旋，是他向往和创造的最好的课、最好的语文课。

不普通之三，是他的非书之书。美国文化人类学家克利福德·格尔兹说，"我们所有这些为社会科学杂志写文章的人都有一本自己想象中的非书之书"。王栋生首先让学生读"非书之书"。当然，这里的书不是传统意义的语文书、教科书、教学参考资料，是那些看起来与语文教科书没有多大关系，对高考语文没有多大作用的书。王栋生的"非书之书"太重要。于是，"冬天早上天没亮，我就爬越大门进学校，到宿舍把学生喊起来，跟我一起跑步；第一学期的每个星期天，我都带学生去博物馆、美术馆，到处参观游玩，见世面；有经典影片，一定找来组织他们观看"。多好！读语文书是重要的，但只读语文书是不行的。"非书之书"是经典之作，是本大书，是无字的生活之书。现在读"非书之书",将来才能写"非书之书"。而且,"非书之书"也是想象之书,想象可以把学生带到无限的生活世界去。

王栋生进行的是真正的语文教育,超越了技术,超越了工具理性。他的语文教育说到底是对学生的文化启蒙、思想启蒙。康德说得好:"从迷信中解放出来唤作启蒙。"而这种摆脱迷信、获得解放,要有勇气,康德把此叫作启蒙运动的口号:"要有勇气运用你自己的理智!"王栋生用勇气、理智以及自己特有的方式,通过语文教育坚持进行文化启蒙。

文化启蒙并不否定语文教育的知识教学和写作训练。但王栋生注重的是学生自由的状态。这种自由的状态,用他的话来说,就是轻松学语文。轻松的自由状态,学生才会有独特的想法,才会在知识里寻找和生成智慧。

王栋生是语文教育家。我们称羡他的语文教育境界,称羡他语文教育独特的方式。当今,需要像王栋生这样的语文教育家,我们不妨把他的语文教育称作"王栋生风格""王栋生语文教育流派"。

黄厚江：本色的"语文品质"

黄厚江，常常让我们想起大树的叶子。他说，他的每一年都是树上的一片叶子。叶子，在阳光下透出最鲜亮的色彩，那是叶子最本真的色彩。于是，说起黄厚江，当然会情不自禁地去叩开他犹如树叶的"本色语文"的大门，倾听本色语文发出的最质朴也是最生动的声音。

本色语文是一个概念的建构。建构一个概念意味着理念的凝聚、见解的整合、理论的成熟。我倾向把建构的概念叫作教育主张或教学主张。其实，透过概念抑或主张，我们应当寻觅主人的品质。主人的品质好比是概念、主张的精灵，又是概念、主张诞生的关键，建构概念必须首先培植自己的品质，建构概念的过程也是培植品质的过程。

我怀着好奇心，作一番考量和思索，想使黄厚江的品质"显现"出来。（席勒在《审美教育书简》里所使用的"显现"最能准确、最能传神地表达我对黄厚江的认识。）品质的显现，可以帮助我们去把梳黄厚江研究、实践的历程，捕捉本色语文最深处的东西。而且，我以为，不妨把黄厚江的这些品质叫作"黄厚江语文品质"。正是因为黄厚江的品质铸就了他的本色语文，显现了语文的品质。这样，我们就在"本色语文"和"语文品质"中间搭起了一座桥梁，这是一种研究的方式，也是建构的方式。也许这正是诺贝尔文学奖得主马里奥·巴尔加斯·略萨总结自己小说创作时所说的，"让写作方式成为小说的主角，作品的结构比内容重要"。用探究的方式，可以梳理出黄厚江本色语文的内隐性结构，从中显现黄厚江的"语文品质"。

一、理性批判的品质：内心的忠诚、视野的开阔

当下，我们缺少批判精神。殊不见，公开课的评课几成"评功摆好"，连一些学术高层论坛的思想锋芒也于无形中消遁，有的甚至成了低俗的搞笑。若如此下去，教学研究、学术批评将会远离我们而去，只会剩下一种声音，平庸苍白进而人人附会趋同，而批判与研究荡然无存，发展与创造，更无从谈起。

黄厚江可不，他保持着一种沉着的理智，在深入观察后，发出一种质疑式的追问：当强调语文具有人文性，语文就成为人文的时候，当强调语文是文化，文化就成为语文的时候，当强调不能不关注生命，语文就成了生命教育的时候，当强调语文和生活紧密联系，生活成了语文的时候……黄厚江都会这么问自己：是这样吗？为什么会这样？应该怎么样？这种发自内心的质疑与追问，表达了他内心的忠诚——忠诚于真正的声音，忠诚于真正的语文，忠诚于真正的研究。这不禁让我们想起了梁实秋。梁实秋评论莎士比亚，从 18 世纪英国著名批评家塞缪尔·约翰逊那里学到了批评的原则，即要像莎士比亚忠实于生活、忠实于人性那样，"不沾染某一地点的特殊风味""也不受偶然的时髦或暂时的风尚之影响"，而是"忠实地把生活反映出来给读者看"。黄厚江忠诚，比如，关于"诗意语文"（当然我是支持这一命题的）的评说，有人在"诗意语文"的口号下追求语文教学的无功利，黄厚江的反问是："语文真的无功利吗？"他认为，如果语文真的除了给人一点诗意外便不再有什么功利价值，那么语文也就失去了它存在的价值。

黄厚江这种内心的追问固然表现了他内心对于事物本真与实质的忠诚，固然是他的良知和道德标准使然，此外，这与他的学术功底与开阔的视野也分不开。我始终认为，一个优秀教师的判断十分重要，决策往往以判断为前提。假如，他的判断只是出于他的直觉，只是出于他的情感，判断可能会有偏差甚或有失误。黄厚江的理性批判精神和品质来自他学术视域的开阔。他一直在读书、学习，读书、学习为他洞开了一扇又一扇窗；他一直在追问、

思考，追问、思考让他从事物的表层走向内核；他一直在研究，研究让他在拥抱灿烂感性的同时，也拥抱深刻的理性，锻造了理性思维的品质和习惯。正因为此，在雾里看花、涛飞云走时，他才会看得真真切切、明明白白；也正因为此，他的本色语文才会呼之而出，瓜熟蒂落，像是透过云雾后一次美丽的日出。理性批判的品质让黄厚江保持了本真的自我，黄厚江首先是本色的。

二、追根寻源的品质："元"的思索、"道"的遵依

本色语文反映的是黄厚江追根寻源的品质。语文的被萎缩、语文的被夸大、语文的被拔高、语文的被虚化，黄厚江以简约而辛辣的语言点了语文教学之穴。他点穴时的自我提问是：语文到底是什么？我们从哪里来？我们要到哪里去？哲学式的提问触及到语文的本质与走向，用他自己的话来说，"我喜欢用原点思维的方法思考问题"，"常常从最初的问题开始思考"。

的确，我们需要回溯，回到本质处去追问，寻找并明晰语文的"身份"。语文不应该有多种身份，换个角度说，语文可以有多种身份，但必须认定它本真的、独特的身份，否则，多种身份必然产生职责、功能的冲突，在冲突中迷乱，直至迷失"语文自我"。语文的身份来自"最初的"规定性。寻找语文最初的规定性，必须回到语文"最初的地方去"。这就是"元"的思索追寻与"道"的遵依把握。

元者，万物之始。在汉语中，"元"的主要含义是：本原的、根本的、首位的，还有大的。在追根寻源中，黄厚江对本色语文的基本内涵认识越来越清晰，越来越准确：一是"语文本原"——其基本定位是"以语言为核心，以语文学习活动为主要形式，以提高学生的语言素养为根本目的"；二是"语文本真"——"教师按语文的规律去教，学生按照语文的规律去学"，即语文的本真在于语文规律的把握；三是"语文本位"——"体现语文学科的基本特点，实现语文课程的基本价值"，即语文本位在于本身价值与特点的坚守。最终，黄厚江对本色语文的回答是："语文就是语文。"语文"就是"关于正确理解和运用祖国语言文字的课程，"就是"按语文本身规律教学的

语文，"就是"回到语文的本质上去，"不是"另一种语文，更"不是"语文。这样，本色语文显现了语文最根本的、最基本的、最稳定的特性，因而可以理解本色语文是"首位"的，也是最"大的"。

黄厚江不仅在"元"上思考，而且在"道"上追寻。"道可道，非常道。名可名，非常名。"但，道应该是可以领悟的。我们可以把"道"理解为道路，引申出规律，还可以引申为规则，但是，"道"最为重要的是指生命的创造力。形而上谓之道。之于黄厚江而言，"道"就是发挥自己的创造力，唤醒语文本身的活力。本色语文本身就显现了黄厚江的创造力，而且，他进一步地说："本色语文并非没有追求：本色，不排斥其他风格；本色也不反对创新；本色，更不放弃更高更好的追求。"他说："本色，是语文教学的原点。你可以走得很远，但这是出发地。"这是一种真诚的重要的提醒，因为，我们走得远了，常常忘掉出发的地方。其实，回到出发的地方，是为了新的出发，在归来与归去中，我们走远了，也走好了，走高了。这就是"语文之道""语文教学之道"。黄厚江依循这一"道"。

"元"与"道"的统一，显现了黄厚江不忘"本"的品质。这一品质让他永远站在出发的地方，又在遥远的地方，永远在起点，又永远在追寻终点。

三、主体建构的品质：完整建构、理性思维和主体精神

本色语文绝不只是一个概念，更不只是一句常挂嘴边而无实在内容的口号。黄厚江进行了本色语文体系的建构。而他的建构，有深刻的思考，系统的把握，理论的支撑，又在建构中形成了自己的见解，闪烁着"本色"的品质。

本色语文体系的建构，黄厚江从课程观、教学观、教学原则（黄厚江将其纳入教学观）、教学结构、教学策略、教学方法（后三者黄厚江统称为教学机制）等几个方面去思考和设计。显然，他的思考是深入和系统的，他的设计是框架式的和科学的，因而所架构的体系是完整的。我以为，这样的架构发展下去，不断完善，黄厚江建构的应当是"本色语文课程论"。而且，

它是在新课程背景下和新课程理念下的建构，体现的和实现的是新课程价值，显现了黄厚江的"课程品质"。具体说，一是他的课程意识。语文的边界是明确的，但语文的边界不能自我封闭，他把语文教学体系的建构置于课程之下，坚守的既是"语文本位"，又是"课程本位"。这样，黄厚江就有了一种超越。二是他的课程视野。讨论阐释工具观时，黄厚江明确地说："尽管'语文的外延与生活相等'早就成了人们熟知的一句话，但人们并没有全面地把握它的内涵。我认为，'生活'不单单是'学习'和'工作'，也不单单是'交际'，甚至可以说，最主要的不是'学习''工作'或'交际'，丰富的'精神生活'和'情感生活'，是'生活'的主要内涵。"显然，这是黄厚江的课程新视野。三是课程能力。黄厚江一直在建构语文，包括语文选修课程，并把选修课程的基本特征界定为：要求高一点，容量大一点，活动多一点，专题意识强一点，选择余地大一点，学生的自主性再多一点，课程个性强一点。在课程建构中，黄厚江以他的很强的课程能力使自己成为课程的创造者。

黄厚江课程建构中显现的品质，也体现了他的理性思维。他有自己的理论视角，把理论和实践结合起来，形成自己的概念系统，这是难能可贵的。比如，他提出了语文教学的两个操作机制：和谐共生教学法、树式共生课堂教学结构。教学机制都指向"共生"，从理论基础、核心、基本特征、主要形式以及前提等方面，作了清晰的阐释。尤其是他所阐释的工具观、人文观、"统一"观、教材观、知识观、训练观、过程观等，都有自己独到的见解，比如语文课程的"知识"的"中位"概念等，这些都充溢着理论的色彩。他的理论来自实践，来自对实践经验的提升，是一种实践性理论、扎根性理论。在课程建构中，黄厚江以他的思考，逐步使自己成为佐藤学所说的"反思型实践家"，成为"本色语文"理论的建构者。

黄厚江在课程建构中显现的品质，还体现在他的主体精神上。他有自己的追求。他追求做一个平民语文人，人生五十载，平平淡淡；教书三十年，平平常常，也是一种追求。其实，平平淡淡中蕴含着深刻，平平常常中透析着丰富。他追求做一个有着强烈现实感的人，很少怀想天空，难得仰望星辰。其实，在"很少""难得"中，我们体悟到他把自己的脚踩在坚实的大地上。他追求做一个实践主义者，多做少说、不说只做，对功利化的拒绝，正是对崇高的真正理解和追求。他追求做中庸主义者，不喜欢极端，喜欢不偏不倚。其实他追求的是智慧，追求的是艺术。如此等等，黄厚江发挥了主体精神，真正像个教师，真正是个研究者，这就到了一个很高的境界。

黄厚江以自己的本色建构本色语文，建构本色课程。说到底，黄厚江建构的是自己的人生。他的人生是本色的，然而这样的人生又是多彩的、丰富的、深刻的。人生的本色才可能有语文的本色；人生的多彩、丰富，才可能使"本色语文"更具意蕴；人生的深刻，才不会使"本色语文"平淡、平庸，相反愈显其深度。这就是黄厚江的品质，黄厚江的"本色"品质。就这样，从本色语文中显现了本色品质，又从本色品质建构起内隐的心理文化结构，培植了真诚的精神气质，锻造了建构课程的能力。就这样，黄厚江永远使自己的每一片叶闪亮、珍贵。

就是今天，我重新读我自己这篇文章时，黄厚江的幽默、风趣的表情还在我眼前浮现。他是一片会笑的叶子。

唐江澎:"体悟教学"的意义

一、唐江澎印象: 随笔式的体悟

唐江澎和他的历届学生都喜欢这样的诗句:"别以为有一面旗帜 / 在前方哗啦啦地招展 / 后面就一定会有我追逐的步履 / 我不崇拜 / 我不理解的东西"。这是诗人汪国真的几句诗。唐江澎说,这是他给学生们提出的对待教材的基本态度。不过,往深处讲,这是唐江澎的语文教育的重要理念,是他基本的人生态度。他的学生正是怀着这样的理念和态度跨出锡山高中的大门的。他们常常怀着特别自豪的表情,回望母校,回望语文教师,回望人生导师唐江澎。是唐江澎在他们的文化体悟里注入了思想的种子。

唐江澎和他的学生曾经研究过《相信未来》第三节诗句朗读时的句读:是"我要用手 / 指那天边的 / 排浪,我要用手 / 掌那托住太阳的 / 大海",还是"我要用手指 / 那天边的 / 排浪,我要用手掌 / 那托住太阳的 / 大海"?朗读的停顿绝不仅仅是技术问题,唐江澎深究的是,怎样停顿才能准确传达诗歌壮润的意象和诗人坚定的信念。显然,他心目中,是希求学生用"手"去"指",用"手"去"掌"。这是何等的气魄和信念?唐江澎正是用这样的教学,这样的研究和体悟,去让学生相信未来;而有这样的学生,我们才能相信未来。显然,他的语文教学是对未来的一种定义,是对未来相信的追求。

唐江澎和学生曾经就《与朱元思书》中的文字于无疑处中生疑。他说,

"自富阳至桐庐"不仅是"一百许里"的路段,而且是"从流漂荡,任意东西"的方式,而"这种独特的随任方式正与作者自由解脱、舒展陶醉的精神状态相结合"。当然,唐江澎表达的句式与他要求学生的一样——"我认为"。也让我来一下"我认为"。我认为,这其实是唐江澎的心境和思维方式或习惯,是唐江澎追求而且已形成的风格。正是"从流漂荡,任意东西"的洒脱、自在、豪放,让他对语文教学有自己独到的体悟,这种独到的体悟又让他的语文教学有独到的风格。他的"体悟教学"正是在这样的心境、语境中诞生的,是在"我认为"的文化土壤里诞生的。

照例,一篇文章的"开场白"不应讲这么多的话。不过,我认为,不这样去开头,似乎不能表达我阅读唐江澎的感受。既然唐江澎可以从流漂荡,任意东西,一百许里,那么,我们就无形中受他的影响,与他的风格相吻合。更为重要的是,我们在寻找一个"开头",用帕慕克的话来说,是试图寻找"中途",进而去开辟和寻找一个好的"结尾"。

二、人生意义:在"体悟教学"的背后

人要有崇高感。罗曼·罗兰在《米开朗基罗传》序的最后这么说:伟大的人物有伟大的心魄,伟大的心魄犹如高山峻岭,不怕风雨吹荡,不怕云雾包围。我不期望每个人都有伟大的心魄,但每个人每年至少有一次要登上高山之巅。在高山之巅,肺中的呼吸换过,脉管中的血流也换过。这时,你回到广袤的平原,就获得追近永恒的力量。这就是崇高感。

唐江澎有崇高感。他的"体悟教学"追求崇高,追求美好。追求崇高永远是一个过程。文化人类学领域代表人物马林诺夫斯基曾把研究者的研究历程分为三个阶段:"在这里""到那里""回到这里"。用这三个阶段来分析和描述唐江澎追求崇高的过程是恰当的。而他追求的崇高,说到底是追求人生的意义。

唐江澎的"在这里"。他的人生之路是坎坷而曲折的,过早的失学、失业、失恃,从小身体条件不如别人,让他年幼的心灵历经诸多磨难,可以说,他从小处在人生的不幸的一边。但是,他没有失志,相反,在与命运抗

争中，不断健全自己的心灵，完善自己的心智。正是接连不断的挫折，让他有了人生真切的体悟。苦难并不是低贱，磨难却是一种考验。唐江澎对人生的体悟是："天生我材必有用"的自信、"唯我不得出"的浩叹，以及在自信与浩叹中的发愤和抗争。他发愤与抗争的最具体的行动是读书、自学，学会了学习，学会了整理读书的方法，学会了从书籍中获得感悟。这是意志的磨炼和方法的淬炼。这是其一。在与命运抗争的同时，他学会了同情、关心，以自己的体会和心得去帮助别人，而且学会了怎么帮助。唐江澎不仅有同情、关心、帮助别人的道德种子，而且有切实的行动。这是其二。其三，他把这一切最后归结为一点：关于人，关于人生的意义，关于人生的价值的体悟。他的人生体悟是：正如"人"字的结构，人靠互相支撑构造出"人"的辉煌。同时，他还体悟到，人的生存方式往往是生活态度的反映，又影响着生活态度。看来，唐江澎的心灵在不幸与艰辛中更为健全、更为坚强。这样的心灵才会在教育中闪亮，才会构造最完整的教育。

唐江澎的"到那里"。命运把唐江澎安排到教育领域，让他当教师。我甚至以为，这是命运对他的眷顾，他天生就是做教师的，而且一定是做好教师的"命"。唐江澎到了那里——教育。在那里，他把人生体悟与教育的体悟自然地联系在一起，即从人生经历到"教历"的体悟与研究。其一，教育的主题与真谛是师生关系。师生关系是互动的，不只是教师在教育学生，而且学生也在帮助教师。他说："学生的信任支撑起我倾斜的人生，我也要用知识去支撑起学生的未来。"是学生让他获得对教育的刻骨铭心的挚爱。其二，教学的过程也是教师学习的过程。也许是他原来知识的不足，让他边教边学，坚持和学生一样背课文，坚持和学生同时写作，坚持和学生一道做题。他说："决不能让自己的无知弥漫为学生群体性的知识盲区。"所以，唐江澎一直在学，学识也越来越厚实。其三，他一直铭记老校长的鼓励："只要把你怎么学的告诉学生，让他们达到你的水平，你就成功了。"对老校长的话不必去仔细推敲，他的核心思想是：怎么学。唐江澎的领悟是，教学的过程就应当是学生怎么学的过程，是不断体悟的过程，"教历"说到底是"学历"——学习的经历。这样，就为唐江澎以后的"体悟教学"主张打下了极为素朴又极为深刻的基础，渐渐地，他到了一个崇高的境界。

唐江澎的"回到这里"。人生总是要回到原点，教育也总是要回到原点，往深处讲，教育回到原点与人生回到原点在本质上应该是一致的。唐江澎正是有这样深度的体悟。其实，教育回到原点，就是回到人生，回到学生作为人的意义上来。对此，他的体悟在以下几点：一是真正把学生当作发展着的人，他们具有无限的可能性，他们需要获得人生的意义；二是把教师真正当作发展着的人，教师不能只是消耗自己，而是要丰富和提升自己人生的意义；三是以"人—人"的方式来构建教育关系，这一关系的核心是所有的人都活得有意义，因而这一关系成了"体悟教学"的基石。由此看来，唐江澎的"体悟教学"是让教育回到原点上去；回到教育的原点，必须回到人的意义；回到人的意义的具体形态是回到人生意义上去。这是唐江澎要寻找的、要回到的"这里"。"回到这里"，就是回到人生的意义和精神的根据地。

"体悟教学"不只是一个教学、教育的问题，在其背后有一个宽阔的、深厚的人生背景。如果忽略这一点，我们对"体悟教学"意义的体悟就会显得浅薄。

三、"个人意义"：在"体悟教学"的深处

20 世纪以来，"哲学的一个基本走向，就是迈向意义的世界"。意义问题已经逐渐进入人们的研究视野，并成为时代主题，生命哲学、存在主义、解释学、现象学等无不把人的意义世界作为一个基本的关注焦点。唐江澎的"体悟教学"正是在追寻人的意义，迈向意义的世界。在他追寻人生意义的同时，他还在追寻"个人意义"。他知道，如果人的意义不能落实在"个人意义"上，可能会虚泛起来。这，实质是"体悟教学"最深处的意义。

唐江澎这样的追寻有一个过程，这过程的开端是变革教师的教材观，即教师拥有课程和教材开发权。他的策略是"用而非教"，即教材是教师用来教的，更是学生用来学的，这样，学生才能回到教学的核心地位，学生才可能有些体悟。其实，这何止是教材观呢？唐江澎已经把"用而非教"当作基本的教学理念和原则了。在这样的基础上，唐江澎提出"有意义的学习"。

他认为，"用问题的创设、情境的创设来调动学生情感和思维的参与，以设问与解答为基本手段，通过教师的'导向'使学生'定向自悟'，通过教师的'启悟'使学生有所'体悟'"。这样的教学，语文才会进入学生的心里，进入学生的认知结构，逐渐进入学生终身学习的框架，也才使语文教育成为语文学习。这就叫"有意义的学习"。

唐江澎的探索还没有停止。他不断地深入：真正的有意义学习究竟是什么？如果语文学习没有成为学生发自内心的、独特的体验，那么它还止于表层，止于共同的意义；当学习真正进入每一个学生内心，在每一个学生身上发生作用时，这才是真正的有意义。这就是"个人意义"。"体悟教学"最终追求的正是"个人意义"的产生。这很深刻。我们不妨对此作些讨论，从唐江澎的"体悟教学"中来体悟一下"个人意义"。

1. 唐江澎把"体悟教学"的宗旨定位于"个人意义"上，是为了从"这一批"走向"这一个"，从"公共知识"走向"个体知识"。班级授课制在提高教学效率的同时，忽视了学生的个体，关注的是"这一批""这一班"。面向全体固然没错，但是，我们往往忽略了一个基本道理和事实，即没有"这一个"怎么可能真正面向全体？教育只有落实到"这一个""那一个"的时候，教育才是有效的、有意义的。在这问题的背后是一个知识观的问题。知识既有公共知识又有个体知识。"个体知识是一种私人知识，是一种私人财富，它无疑只能为独立的一个人占有。"新一轮课程改革正是引入了个体知识，在课程观、教材观、教学观、学习观、评价观等方面发生了根本的转向。强调个体知识，就是要求我们关注认识主体中的人，关注教育中的每一个学生，关注知识的"理解—个性化"特征，关注学习过程中个人心智模式的丰富，关注心理、精神、意义、价值层面的知识，让这些在知识体系中最为自由和最富个体行为驱动力的知识发挥更大作用。在本质上，教育"就是把人类的客观精神转化为个体的主观精神，把人类的文化经验转化为个体的人生经验，形成个体的完整性、独特性，使个体在生活中发展生活的艺术与智慧"。我们不妨把"个人意义"理解为个体知识，抑或，个体知识观是支撑"体悟教学"的理论基础。的确，"体悟教学"就是让每一个学生都能独特地去体悟，去建构个体知识，形成"个人意义"。显而易见，"体悟教学"使语文教学发生变革，进而使教育发生根本性变革。

2. 唐江澎用"我的太阳"来隐喻"体悟教学"中的"个人意义"，强调学生的解放和独立。唐江澎曾把学生当作"我的太阳"，更让学生把自己当作"太阳"。这是一种隐喻。用美国学者小威廉·E·多尔的话来说，隐喻比逻辑更有效。"我的太阳"凸显的是每一个学生的尊严和价值，强调每一个学生都是一个独特的世界。为此，"体悟教学"倡导学生的解放，只有解放才能拨开"乌云"见"太阳"。但是，学生的解放表现在哪里？唐江澎从让学生大胆地质疑开始。质疑是深度体悟后的提问和追问，质疑为的是新的建构和创造。当然，学生的质疑不一定正确，但是，提出质疑、争论质疑、排除质疑的过程却是必不可少的，是可以产生意义，尤其是产生"个人意义"的。此时，"太阳"才会亮出最美丽的色彩。

3. 唐江澎为了让学生产生"个人意义"，有自己的教育信条。如果要作些概括的话，那就是：欣赏学生，善待"个人见解"。如开头所言，唐江澎要求学生在课堂上表达见解时，前面必须加上三个字："我认为"。唐江澎说，多年后，学有所成的学生曾函告："您教会的三个字，使我在任何场合下都增加了底气，拥有了自信。"他又这么说："我认为，是对自我价值的肯定，是向竞争世界扬起个性的旗帜，无须小心猜度，无须曲意逢迎，只要言之有理，'我认为'就是我的宣言。"当然，我认为，如一时无法言之有理，甚至就是言之无理，也没什么关系。"个人意义"其根本价值在于彰显个人的见解和意义。无论是欣赏还是善待，都是营造一块安全的、快乐的文化栖息地——这就是唐江澎所说的"家""故乡""出生地"。

4. 唐江澎的"体悟教学"，不只是让学生产生"个人意义"，而是让"个人意义"具有文化气象。唐江澎这么和学生说："'个人意义'的产生，绝不是'抬杠思维'的强化；努力自圆其说，是对观点合理性的深思，发展的是思维的严密性，而不是对自我观点以及个人面子的维护，那样只会发展思维的偏激性。"这段话很重要。囿于个人的见解，一味为自己的观点辩护，不能倾听别人的意见，是一种"小气"，绝无文化气象可言。当把"个人意义"

与"他人意义"在碰撞中相融合的时候，才会有大千气象。个体知识是对公共知识的个性化解读所产生的知识，但它并不排斥公共知识，相反，个体知识应当与公共知识一起，建构完整的知识观，建构完整的意义。

20 世纪我们迈开了双脚，走向意义世界。唐江澎以他的文化敏感、智慧悟性，以及他的才情、才华、诗人气质，捕捉了这一走向，对"体悟教学"作了深入的开掘，提升了自己的理论，走在了我们的前面。这是非常有意义的，不仅有"个人意义"，也具有"公共意义"。为此，我们谢谢"体悟教学"，谢谢唐江澎。

曹勇军：用隐喻探索语文教育的哲学

一、曹勇军有自己的哲学追求

曹勇军老师，很丰富。

曹勇军老师有丰富的个人阅读史，有丰富的个人写作史，有丰富的个人生活史，因此，他的精神成长之旅是丰富的、充实的。而他所有的丰富，用他自己的话来说，都是为了"抓住语文"。

曹勇军老师用"抓住语文"这一最为日常、最为通俗的用语，一直提醒自己：语文最容易从自己的手中溜掉，最容易从语文书中、从语文课里溜掉。语文溜掉了，语文课就没有语文了，语文课就不是语文课了。

但是，为了"抓住语文"，他又常常"离开"语文。用洪劬颉的话来说，他常常寻找语文教学"上位"的东西。比如，他认为语文听说读写的"上位"是"思"；比如，他认为作文教学的本质"不属于文章学"，"上位"应当是"教育学"；他认为语文教学的管理不能只在微观层面，也不能止于中观层面，而应追寻"上位"，即宏观管理，着力建立起具有语文教师独特文化生态的生活，提升富含精神和思想的语文思想；……

2009 年春节曹勇军给朋友发了一则短信："择高处立，就平处坐，向宽处行。"他用左宗棠的话来勉励自己，把"高""平""宽"统一在一起，用"高处"来提升自己，用"平处"来锻造自己的品质和作风，用"宽处"来开阔自己的眼界和心胸。可以这么说，曹永军"抓住语文"，首先是抓住"非语文"的，更准确地说是"上位语文"的。他明确地说："我有自己的教育母题，而在教育母题中有许多哲学隐喻。"我以为，他是要从哲学隐喻开始探索自己的语文教育哲学。

曹勇军之所以有如此的择高处立的追求，是因为他认识到哲学之于语文教育、之于整个教育的深度开掘和高度引领的价值和意义。的确是这样。杜威有过这样的判断："哲学就是广义的教育学说。"胡适在他的《杜威的教育哲学》中就这么阐释：治学要于不疑处疑，待人要于疑处不疑。美国教育哲学家乔治·F·奈勒说：那些不应用哲学去思考问题的教育工作者必然是肤浅的。一个肤浅的教育工作者，可能是好的教育工作者，也可能是坏的教育工作者——但是，好也好得有限，而坏则每况愈下。古人云，叩之以小者则小鸣，叩之以大者则大鸣。曹勇军要用教育哲学去叩语文教育之门，完全可能发出"大鸣"，写出"大文章"。

曹勇军"抓住语文"发出大鸣，而发出大鸣，他又通过隐喻来阐发自己的理念，来描述自己的追求。美国学者小威廉·E·多尔说："隐喻比逻辑更有效"，因为"隐喻是生产性的：帮助我们看到我们所没有看到的。隐喻是开放性的、启发性的、引发对话的，具有联想价值。"曹勇军正是用一个个隐喻串起了语文教育的母题，串起了整个教育的母题，把自己，也把我们带到高远而繁茂的境界。

因此，可以说，曹勇军用隐喻"抓住"了语文的本质，直抵语文教育的内核。因此，可以说，曹勇军是丰富的，又是很深刻的。

二、曹勇军的四个哲学隐喻

隐喻之一：诗。

曹勇军喜欢诗。他喜欢读诗，尤其是普希金的诗。青春年少的他，喜欢普希金卷曲的头发、高耸的鼻梁，以及诗人身上散发的诗意。也许就是那个时候，他爱上了生活，为语文教育与生活的关联埋下了一颗稚嫩而饱满的种子。后来的经历证明，生活没有欺骗他，因为他真正理解了生活。他喜欢写诗。学生时代那首新诗作《太白，我轻轻地把你扶起……》，诗意不甚明朗，不过可以想象他与诗哲相遇、对话的情景，可以想见他扶起诗哲的情态和内心的渴求。他组织诗社。那个叫"六一诗社"的社团，燃起他年轻的理想和激情，也点燃了多少青春年华。所以，我总觉得，曹勇军有诗人的气质。

爱诗、诵诗、写诗的经历让他去理解语文教育。他的理解是："真正的教育家都是诗人。""我还在写诗：把一节一节的课当作诗，把一届一届毕业的学生当作诗，把一篇一篇论文当作诗，把一次一次讲学当作诗……"

用诗隐喻教育、隐喻语文教育的意蕴究竟在哪里？我们不妨作些梳理：其一，教育、语文教育是艺术。海德格尔认为艺术的本质是诗，他说，艺术的诗意本质"是以流溢、资助和赠予的方式构成并展现存在的真理"。曹勇军用诗作喻，可见他对语文教育艺术的追求，对语文教育诗意的期盼。其二，在古希腊语里，诗学的本义是指创作或塑造的艺术。用诗作喻，旨在语文教育以及语文学习的创造，用诗雕刻人的思想，塑造人的心灵。缺失诗意的语文教育犹如荒芜的沙漠，肯定不能应答民族创新之问，语文教师和学生也无法诗意地栖居。其三，诗意、诗化指向人的生活。加拿大教育现象学家马克斯·范梅南说：所谓诗化不仅仅是诗歌的一种形式，或一种韵律的形成。诗化是对初始经验的思考，是最初体验的描述。诗，把语文教育带向生活，带向经验，带向体验与思考。其四，诗追求崇高。当下的语文教育已受到平庸、低俗文化的影响。高尔基认为，诗不是属于现实部分的事实，而是属于比现实更高部分的事实——这就是崇高。歌德表达了同样的意思：应该把现实提举到和诗一般的高。为什么？因为诗是联结人、社会、宇宙的心——池田大作的话道出了诗的崇高之处。也正因为此，雪莱才认为，诗人是世上没有得到承认的立法者。曹勇军，正是用诗这一隐喻，希望在语文教育，甚至在整个教育"立法"，把语文，把教育通过诗与人、与社会、与宇宙联结起来，建立起语文教育的新秩序，在师生的内心也建立起追求崇高的秩序。

隐喻之二：彼岸的树。

曹勇军在读师专时曾写过一首诗，题目叫《彼岸的树》："我发现 / 彼岸

有一棵树 / 高直的树身 / 半满的树冠 / 不可遏止的葱绿 / 摇曳着令人心醉的温暖……"这是一棵正在长大的树，尽管树冠半满，但葱绿不可遏止，长大的力量不可遏止。这是一棵未来的树，它长在彼岸，而此岸的我将会来到彼岸，未来总是美好的、温暖的。

在做了教师后，在教了语文后，曹勇军仍然用彼岸的树来隐喻自己心中的语文教育以及正在学习语文的学生。其深刻的意蕴在于以下几个方面。①语文，好大一棵树。是的，语文是一棵树，母语就是那树干，它把根深深地扎在中华民族丰厚的文化土壤里，从大地母亲那里吮吸养分。那枝枝叶叶犹如文字、文学，犹如字词句篇，犹如听说读写。语文，就应当在生活中，在田野里。离开生活，离开土壤，离开文化就会枯萎。②学生，好大一棵树。学生是一棵树，正在长大，正在伸展自己的枝叶。教师要爱这棵树，要相信这棵树，因为学生就是可能性，语文学习中的学生一切皆有可能。③教师，好大一棵树。教师这棵树也要生长，但他的生长不只是为了自己。曹勇军这么解释："真正的教育是一棵树摇动一片树。"他为了摇动学生这片树，用自己的枝叶，用自己的温暖，用自己的力量去关照这片树，滋养这片树。摇动树，就是唤醒潜在的生命力量，就是唤醒学生的心灵。④彼岸的树，好大一棵树。语文教育、教育，好比是摆渡，从此岸到彼岸。彼岸，是我们的理想，也是我们要到达的地方。站在此岸，遥望彼岸，心中充溢温暖和跨越的力量。此岸的树的未来就是彼岸的树。

其实，用树作比，最终还是把语文教育、把教育当作种子。一个苹果里有多少粒种子，是可以数得出来的；可是，一粒种子可以结出多少个苹果却无法预测。曹勇军的隐喻可能正在此。突然想起一句谚语：种一棵树吧，你能进入天堂。

隐喻之三：故事。

有人问曹勇军，语文是什么？他想了想，说："语文就是教师与学生的故事。"对此，他有个解释："如果剥掉加在语文上面的层层华美的装饰，不断追问下去，进行现象学还原，我们会发现其中最原始、最活跃的课程密码，无非就是教师、学生和有关他们的故事。"

爱尔兰作家理查德·卡尼在她的著作《故事离真实有多远》中说："讲故事对人来说就像是吃东西一样，是不可或缺的。因其如此，事实上，饮食可使我们维生，而故事可使我们不枉此生。"亚里士多德在《诗学》中把故事界定为"戏剧性的模仿和人类行为的构想"。曹勇军用自己的哲学思维，提出"语文就是故事"的命题，意蕴同样是丰富和深刻的。

其一，故事让我们具备了身份，而且明晰了自己的位置。故事中总有许多人物，不同的人物有不同的身份。语文教育，就是让学生去接触、认识这些人物，对这些人物作出评价，从中汲取有益的启示。语文教育过程中，语文教师与学生也有自己的身份和位置，但这样的身份和位置是可以互换的，即教师成为学生，学生也可以成为教师。其二，故事有自己的结构，讲述者、故事、讲述的主题以及听故事的人。这样的结构，决定了语文教育中主体间性话语模式，并影响着师生的交际行为。其三，叙述故事给了我们一个人人可以分享的世界。语文世界是开放的，语文的地是平的，正是在开放的世界里，编织分享经验、分享思想、分享智慧的机会。有了分享，就有了收获，有了进步。其四，曹勇军说，故事总有开端，却没有结尾。其意在于，语文学习永远是个过程，这一过程构成了教师和学生的语文人生。美国女作家拉克瑟说：构成宇宙的是故事，而不是原子。哈佛商学院有个优良传统——每位教授在学生毕业前的最后一堂课上，都要讲述自己的人生故事，作为送给学生的礼物。的确如此，在曹勇军的文化理念中，语文课堂是共同演绎故事的地方。故事给了语文生命，讲述故事也给了师生共同的生命。在演绎故事中，曹勇军和他的学生有许多仪式，一个个仪式带给他们诸多的文化标识和想象，给了学生最幸福的礼物，这也许就是印度小说家称之为的"伟大的故事"。

隐喻之四：回家。

与日常用语不同的是，回家往往指的是文化上的回归，回到原点上去。但，这不是一般意义上的回归，因为，原点在提升，回归的方式在改变，回归的路径也发生了变化。

曹勇军之所以用回家作喻，是因为，他觉得语文教育走得太远了，已经忘掉了出发的地方，也忘却了出发的目的。回到出发地去，回到目的上去，是曹勇军所要追寻的。出发地在哪里？目的是什么？曹勇军毫不犹豫地回答说：在生活，是生活。

是的，语文教育要回到生活中去。为什么？语文本身就是一种生活，曹勇军称之为语文生活。此外，语文必须和生活相融合，语文在生活中，生活中有语文，语文从生活中获取营养，生活因语文而获得意义。而这一切，是人们发展自己的出发地，在这样的出发地里才会发现美。车尔尼雪夫斯基先把"美"规定为发展中的出类拔萃的生活，然后将其归结为"崇高"。胡塞尔也说：只有感性的、生动的、丰富的生活世界，才能满足人在理智、情感、意志等方面发展的需要。也许阿格妮丝·赫勒说得更透彻："回家"应当意味着回归到了我们所了解、所习惯的生活，我们在那里感到安全，我们的情感关系在那里拥有最为强烈的坚实位置。曹勇军找到了语文教育的坚实位置。

三、不算结尾的话

曹勇军关于语文教育的哲学思考和追求，让他站到了一个高度。正是在这样的高度上，他把哲学隐喻系在教育的母题上。他的教育母题就是：全语文、大课堂；而全语文、大课堂培育全人。语文教育母题又基于他最根本的哲学思考：教学是人学。所以，曹勇军的哲学隐喻不是孤立的，它们有一个隐性的结构。这个结构就在他的教育母题中，就在他的"教学是人学"中。但不可忽略的是，也正是他的哲学隐喻，开始了他语文教育哲学的探索。

曹勇军老师，你一定会有更大的成功。

蔡明：语文教育"心的指南针"

一、生态蔡明

徒弟们习惯称师父蔡明为"老蔡"，背后还有"蔡老头"的称呼。称"老×""老头"倒不仅仅是因为年纪大了，老了一些，还有两种情况：一是对权威的敬畏；一是出于尊敬的亲热，有点亲昵，还有一点调侃。"老蔡""蔡老头"自然属于第二种。可见，蔡明与徒弟们之间的情谊，真诚、纯粹，像是一家人，很生态。

蔡明的普通话带有一点盐城的口音，透着一点乡土气息，让人想起黄海边拍岸的浪花，也使人眼前展现出一片田野的风光——碧绿的草，风中摇曳着的花。他就是用这样的普通话上课、交谈、作报告，但抑扬顿挫，常常冲撞学生和听众的心。课内与课外几乎一个样，没有丝毫的做作。蔡明的普通话很"普通"，很生态。

蔡明的文章像是讲故事，像是聊天。比如，他在评说徒弟的课时，说出现的那个问题，原是自己的主意，"不能做这样的男人，还是招了吧"。比如，他说他与语文的五次大相遇，是以不同的样式与语文的"亲吻"。教育就在一次次相遇时发生，语文就在"亲吻"中产生了温度，诞生了美丽。蔡明的文章、著作，纯朴中有深刻，深刻中有清简，很生态。

蔡明的网名叫"苏雨"，谐音意为江苏的语文教师。不过，其隐喻意为小雨，淅淅沥沥，下个不停，滋润禾苗；是春雨，和着微风，让田野明丽起来、舒展起来；也可能是一阵暴雨，冲刷大地的污垢，噼噼叭叭、好不透彻，好不痛快。"苏雨"，很谦虚，很平常，但很生态。

蔡明，是生态的。

而且，蔡明的生态是多方面的，因而是立体的；是内外统一的，都因而是一体的；是坚持数年的，因而也是一以贯之的。

因此，蔡明的生态语文，是生态蔡明身上长出来的，有了生态蔡明，才有蔡明的生态语文。当然，蔡明的生态语文让蔡明更生态。

其实，往深处剖析，生态蔡明与蔡明的生态语文，都是因为蔡明的心中有"指南针"。

说"心的指南针"不是我的发明，而是源自肯尼迪家庭。约瑟夫·肯尼迪育有四子五女，四个儿子中三个儿子不是战死就是遇刺身亡，只有幼子爱德华·肯尼迪活到年老，在参议员岗位上尽责工作四十年之久，被誉为"美国雄狮"。他生前有一部回忆录，其实也是家族回忆录:《心的指南针》。这部回忆录说的正是这个家庭历经各种磨难，但永不言弃，绝不被动接受命运。在这个显赫的家族中，父辈留给子女最珍贵的财富，不只是金钱，而是一种乐观向上的精神——生命的意义和精神——心的指南针。

我只是一种联想，绝无把蔡明抬到一个不适合的高度的意思，而是说，当一个人心中有"指南针"的时候，准确地说当一个人有"心的指南针"的时候，他会坚定地朝着一个方向走去，不言弃，也不后退。"心的指南针"，是一种方向性的主张，是一块思想的高地，对某个具体人来说，这是他生命中的制高点。

无疑，蔡明"心的指南针"正是他所坚信不疑，执着追求的生态和生态语文。

二、生态语文的"生态位"

在谈论作文教学时，蔡明提出了一个概念:生态位。他这么说:"被高抬为语文学习'半壁江山'的写作，在实际操作中常常被挤压到'墙角一隅'，没有属于它的真正的'生态位'。这是有目共睹的现实。"生态位，是一个重要的概念，尽管蔡明没有给定义，也没有解释，但在他的叙述中，我有了一些感悟。

蔡明花了不小的篇幅对"应试"与"应试教育"作了辨析。他的观点十分鲜明，即"应试"是人的基本素质之一，本应属于素质教育的范畴，"但如果只抓应试素质，用应试的唯一标准来评价教育，也就越出了素质教育的轨道，滑进了应试教育的歧途"。蔡明的理解无疑是准确的、深刻的。不止于此，蔡明还在追问应试教育的根子。他认为应试教育的"真正的原因，在于教育管理体制与教育评价出了问题"，在现行体制下，"起决定作用的还是高考、中考的升学率"；"应试教育是执法不力、有法不依甚至无法无天这棵藤蔓上结出的毒瓜"，"消灭毒瓜，其实很简单，只要把这棵藤蔓扯掉"。这叫"扯蔓"。

蔡明点击了问题的实质，追索了教育问题的根源。是的，应试教育扭曲了教育的原义与真义，使教育发生了异化，破坏了教育的生态。它何止把源自生活、源自心灵、自由表达的学生写作挤压到"墙角一隅"？它挤压了整个教育，使教育失缺了自己的领地，失缺了自己应有的位置。素质教育才是真正的生态教育；素质教育回至教育的核心，才会拥有教育的"生态位"；抑或说，素质教育才是教育的"生态位"，才是语文教育的"生态位"。换个角度说，语文教育应当是素质教育的占位和主导，应当是素质教育的有机组成部分和重要的实施途径。

基于这样的认识，蔡明从素质教育这一战略主题出发，提出了生态语文。说老实话，生态语文并不高深和神秘，其实就是素质教育中的语文，简括地说就是素质语文。但蔡明的可贵之处，就在于他对素质教育的坚信，就在于他的语文教育找寻到了应有的"生态位"。蔡明的高明之处，就在于他对生态语文的解释。

认识事物、讨论问题，可以用想象的方式，想象的方式是有深度的，其中隐喻的方式是具有哲理的。蔡明把生态语文比作一棵树。树，每天都在生长。树的生长来自生命内部的力量，这"深度自然"促使树每日每夜向上、向天空、向自然。树的生长还来自外部给的滋养，阳光、雨露、空气。树的生长靠根深深扎在土壤里，汲取大地母亲给予的无穷无尽的力量。当树扎根土壤，当树与周围的一切和谐的时候，它才向着大自然歌唱，庄严宣告：我是生命，我是自由的。用树来隐喻生态语文最恰当不过。所以，蔡明对生态语文要义的解释是：语文教育唤醒学生的生命，让语文课堂焕发生命的活力；语文教育启发学生呵护、敬畏自然，与自然为伍，从汲汲名利走向澄明生态；语文教育关注学生的个性和创造性，关注民族的未来和人类的进步；语文教育以一个真正完善而丰富的个体，在"适应"的温水里迸发生命的奇迹。蔡明对生态语文的结论是：语文就是生长；生态语文追求的是系统观、联系观、平衡观、动态观；生态语文之根就是文化之根、生命之根。真的，生态，生态语文，生态教育，就是蔡明"心的指南针"。

很有意思的是，蔡明所提倡的"黑板语文"是生态语文的生动呈现。"黑板语文"不只是利用黑板这一工具来教语文，"黑板"在这里也成了一种隐喻：低碳、原生态、简约。在"黑板"前，功利、浮躁、浮华，可能会消遁。当然，生态语文并不排斥现代化的教育手段，但它有一道"绝对命令"，那就是本真、质朴，一切为了学生在语文中获得精神成长。

三、生态语文的"生态因子"

"生态因子"是蔡明生态语文体系中又一个重要的概念。他同样没有给出定义和解释（顺便提个建议：生态语文要有完整建构，必须建立核心概念，并对核心概念作出界定、划定边界，要有具体的阐释）。不过，同样地，我们也可以从他的叙述中领悟到"生态因子"的基本要义。其实，完全可以想见，生态语文是一个完整的生命体，在它的肌体里、血液中必定活跃着一个个基因，否则，生命体就会逝去。有生态语文就一定有"生态因子"，这是必需的，也是必然的。所以，不在概念上计较，对于我们来说，有时候真的是无所谓的，也许，这正是追求生态的理念。

"生态因子"之一：语言文字。没有语言文字何来的语文？没有语言文字何来的思想？没有语言文字何以成为"存在的家"？没有语言文字何来生命自由的落脚点？语文教师对这些当然是明确的，但事实是，在实践中又是相当糊涂的、"钟摆"的。蔡明把生态语文的语言文字这一"生态因子"聚焦在母语上，首先是母语意识，其次是引导学生实实在在走在母语阅读的路上。其中非常有意思的是让学生读《红楼梦》。"我每每接手一个新的班级，坚决做一件事：领着同学们读《红楼梦》。每届学生至少读三个月。这三个月，坚决不上语文教材，也坚决不做高考模拟题，课上课下，非'红楼'不读，非'红楼'不说。"这何止是胆量？又何止是对语文教材的创造？在胆量与语文教材创造的背后，是他对民族文化经典的崇拜。老实说，有多少教师把《红楼梦》完整地读过一遍？高中生就更不必说了。正是在经典阅读中，优秀的民族文化基因植入了学生的血液，发育成民族文化胚胎。

还有一件事是组织"读报刊学语文"系列活动。他有一段精辟的论述："如果语文书是解决语文学习的'正餐'，名著阅读解决语文学习的'营养品'，那么，报刊阅读就是语文学习的'课间加餐'。把报刊请到课堂上，也就是把最鲜美的蔬菜端到餐桌上，不只是膳食结构更合理，且能提高食欲，利于健康成长。"对整段话的抄录我并不回避，因为这些话说出了语文教育的生态。"报刊"这一"生态因子"真的给学生打通了通向时代，通向世界的窗户，这一"生态因子"是时代的文化基因，是世界走向和谐的文化基因——蔡明认为这个世界应当是生态的。

"生态因子"之二：听说读写思。我不知学界对蔡明在众所周知、高度认同的听说读写后面加一个"思"是什么看法。我猜测定会有质疑，因为听说读写过程中渗透着"思"。这固然有道理，但是，蔡明添加一个"思"也并不是没有道理。想起马克思的一首诗："灵魂上的秘密从来就不存在／即便是牛也能生存下来／灵魂之类的无端妄想／真的能在你的胃里发现吗／即便藏身于某个地方／也能将其搜刮出来／灵魂这家伙／从人的身体里不断涌出"。说得真好，"思"好比"灵魂"这家伙，它总是"从人的身体里不断涌出"，是控制不了的，是抑制不住的，也是掩饰不了的。蔡明就是要让"思"从"听说读写"中涌出来。我们是不是可以说，"思"是生态语文之灵魂似的因子呢。

"我思故我在。"但是，离开了"听说读写"，"思"是不能存在的，语文是不存在的，学生也是不存在的。把"思"与"听说读写"并列，其根本旨意是，让"思"附着在"听说读写"上，让"听说读写"生发出"思"，获得魂灵。于是，我胡乱地想，生态语文是不是灵与肉的结合与统一。

"生态因子"之三：学生。诸多因子中学生是核心因子。生态语文最关注学生。我以为，蔡明对学生这一"生态因子"的关注和开发是最为成功的。蔡明这样描述他眼中的学生："每一个孩子本来就是一个诗人、一位画家，他们眼里的世界如诗如画，他们对世界的表达肯定是个性化的、有创意的。"可惜的是，"成人世界的许多干涉，使得孩子们一天天失去了诗情和画意"。接着，他非常明确地说，其"真正的原因是我们没有用孩子的观念、立场、世界观去评价他们对自然、社会和人生的看法"。的确，生态语文有一个坚定的学生立场。生态语文站在学生立场上，就会营造最良好的生态，就会最大限度地开发学生的生命潜量。

细细思量蔡明的生态语文，他对学生的最伟大政策是：解放学生。解放学生就是让学生回归原来的意义和状态，解放学生就是让学生敞开自己的心灵，会"我想"，会"我认为"，会"我设想"，会"我提议"……而且，当学生说出有创意的话时，要用"这是你的""这是你的独立创造"来鼓励。蔡明写过一篇《我们的写作宣言》。宣言中说："写作的本质是生命个体情感活动的表达，永远是一种精神体验，一种生命活动。"我以为，这应当是"我们教育的宣言"，是蔡明的"生态语文宣言"。他曾用一句诗文"自在娇莺恰恰啼"鼓励学生的自由写作，我以为，这是蔡明对生态语文中学生心灵解放的最生动诠释。完全可以这么判定：生态语文开发了学生这一"生态因子"，学生这一"生态因子"造就了生态语文。

在一次讲座中，蔡明引用了弘一法师的偈语："篱菊数茎随上下，无心整理任他黄；先后不与时花竞，自吐霜中一段香。"

蔡明的生态语文，正是这样。

蔡明，这可爱的"老蔡"，正是这样。

因为，蔡明有"心的指南针"。

严华银：语文身份的坚守与明亮

一

严华银坚定地说是自己是"语文人"。他的这一第一身份，让他充溢着使命感、责任感，在横溢才情的同时，又富有理性，始终坚守着语文教学改革的边界。

认识严华银的人都知道，他曾有过很多头衔，有不少耀眼的光环，比如重点中学的副校长、市教研室主任、市教科所所长、市民进副主委、市政协副主席，现在是省中小学师训干训中心副主任……不过，他始终坚定地认为：我是语文教师，我是语文人。即使成为语文特级教师、担任省中学青年语文教师专业委员会会长，他还是说，我是语文人。诸多头衔，当然带来诸多身份。身份超越了角色的含义，往往显示着人的地位，多种身份又显示着社会作用和影响的多样与重要。因此，一些人为了身份，为了多种身份，为了身份的高贵，而不惜打拼，以至于去钻营。像严华银，把一个普通的语文教师当作自己最重要的身份，并以此有一种自豪感、尊严感，是很可贵的。

人总是要有一个第一身份。第一身份是对自己在社会、在某一领域的基本定位，是对自己的基本认识，其实质是对自己人生意义的认同与价值追求。对自己的认识清醒不清醒，对自己人生意义和价值有什么样的追求，就会有不同的第一身份的认定。把语文人作为自己的第一身份，自然表达了严华银内心的真实感受和对理想的真切感悟。想起了伯恩哈德——一位著名的作家，自他的第一部小说《严寒》第一次获奖后，几十年间，几乎年年都能拿到奥地利或德国的国家文学奖，但他从不把著名作家的身份放在心上，更不把获奖当作一件了不起的大事。他说，不让文学奖干扰和左右自己的创作，作品才能温润人们的心灵，帮助自己也帮助人们抵御惊恐和寒冷。因此，有人这么评价他：作家是什么人？不是圣人，不是伟人，而是在为争取有尊严的生存过程中，能以文学的方式生动地表达真实感受的人，是真正的"文学人"。这里无意抬高严华银，只是想说，已经有了名气和影响的人，不把自己当名人，而把自己仅仅当作语文人，是令人感动的。

语文人，内涵相当丰富，不过基本要义是：我是普通的语文教师，我的远大理想是当好的语文教师；我的职责是教好语文，让学生喜欢语文，会学语文，学好语文；我的使命是捍卫语文，使它不受干扰和污染；我的基本表达方式是以语文的方式，描述和阐释我的语文情怀以及对社会的看法。严华银把语文人的使命感和责任感概括成三个问题：语文是什么？语文教什么？怎样教语文？这是自我追问，也是对语文教学的追问，这样的追问表达着自己在干扰面前，要警惕，要有深度思考。30多年来，他就是在不断地追问中，学习、实践、研究，因而不断深化与提升，以此坚守着语文的世界。由此看来，语文人并不平常，做语文人并不容易，不是说，只要教语文就一定是语文人，以上三个问题回答不了，践行不好，就不是语文人。而严华银正是这样一个语文人。

赋予语文人许多色彩，因而教学闪烁着不一样的光彩。当然这里有一个前提，那就是自己的人文素养和才情。严华银是一个有才情的语文人，给人的感觉是潇洒、豁达，有文学家的气质，具备演说家的风格，才情横溢，有美感，有节律感。曾经和他一起去听课，课后临时请他评点。评点前当然是没有任何准备的，但他从从容容，层层说来，其中引用接受美学的观点作了一点分析。我知道接受美学概念，但从未仔细阅读过这一理论。记得他说了以下一些话："作品是作者与读者共同创造的，作品的意义是在阅读中建构的；阅读活动不是读者被动的、消极的接受过程，而是积极的、主动的参与过程；其理论有召唤结构理论、期待视角理论等。"听了以后，我的感觉是，才情不只是一种感性状态，也应有理性支撑，应当有理论功底，否则，才情会空洞、虚泛。他说过这样的话："语文课应该关注表达人事的词、句、文、势、态，即使不能不动情，也只应热泪盈眶，而不必点破使之失控而如江河之直泻。"所谓才情，也不是自己的表演、炫技，而应为学生的语文学习服务，否则，才情失去意义而成摆设。他说过这样的话："我总是专注于一个问题：课堂教学结束后，我们的学生究竟有什么所得？这样的教学一个学期一个年度下来，学生的语言能力和语文素养究竟有哪些提升？"

使命感、责任感，才情、理性、追问与研究，对语文的一往情深，对语文的真诚守望，编织了一个语文人的生活。严华银，语文人，值得尊敬，也值得大家学习，所有的语文教师都应自豪地说：我是语文人。

二

严华银勇敢地说语文教学要安分守己、守株待兔。他在坚守语文人身份的同时，坚守语文的身份。这是他所倡导的"让语文安静下来"的本意与深意。

语文教什么？语文怎么教？首要的是，语文是什么？语文是什么，已有了许多的回答，回答不仅是在书面上，更重要的是在实践中。严华银关注了这些回答与表现，有的他不满意，不同意。值得注意的是，那些人中有不少是特级教师，有的还是全国语文界的名人。不过，严华银有一个可贵的品质，不人云亦云，不迷信权威，他敢质疑，敢批评，敢于发表见解。他的质疑、批评，甚至批判，仍然聚焦在"语文是什么"上。

语文是什么，实质是语文的身份。其实，语文的身份应该是明确的、清晰的，但理解不同，追求不同，文化背景不同，教学经历及其领悟不同，语文真正的身份往往被遮蔽、被模糊，甚至被异化了，用通俗的话来说，就是语文"变味"了。严华银以他语文人的责任感以及专业敏锐，闻到了"变味"后的味道，而且从中他感到了"恐怖"。他说，如果不改变，会酿成"悲剧"，我们要警惕，要捍卫。经过思考和研究，他寻找到了干扰、伤害、污染语文身份的主要表现和原因：泛人文化，以及错误地理解生活化和社会化。

所谓泛人文化，是把什么都当作人文性来对待。严华银主张语文教学要有丰富的人文性，但他认为，"'人文性'是一个有着特定内涵的概念。'人文性'的实现不是靠架空了课文后任意拓展和宣讲，而应该是在学生语言能力的培养也即'工具性'落实的过程中逐渐渗透、潜移默化的；说教和灌输不属于语文"。显然，他不同意把思想性当作人文性，也不同意人文性靠说教和灌输来进行，他主张人文性就在工具性中。同时，他又进一步论证："人类的情感不知有多么复杂和丰富，……一览无余地全部装到我们的语文教材中来，（即使）有少量的一部分装进来，我们的语文教材该是一个什么模样呢？"所谓错误地理解语文教学生活，也不是否定语文与生活的联系与结合，语文离开生活就会枯燥、乏味、贫瘠，语文应该在生活中。但是，语文仍然是语文，生活不能代替语文，语文与生活应该拉近距离，但还应有一定距离，如果生活就是语文，还要语文干什么呢？甚至提语文教学生活化都得慎重，都"生活化"了，那么"化"掉的肯定是语文的性质和"独当之任"。严华银的这些认识无疑是正确的、深刻的。所谓语文社会化，严华银更是反对，他说，社会生活的内容不知有多少变化迁移，世界文化文明的成果更是无法以类别来逐一加以梳理，如果这些十分重要的东西随时都进来，我们的语文还是语文吗？语文老师还是语文老师吗？

以上讨论，他归结为两个基本点：一是语文要"遵循语文学科的规律和特点，根据语文教学的特点和需要，从战略和策略、操作和方法给教学以切切实实的支持和帮助"。二是语文的责任是有限的。他说，不要以为中国基础教育就只有"语文"这一门学科，要求语文承担种种责任，比如思想品德教育、人文素养提升，这实际上是一种"无限责任"，这样势必就使语文变异了。从以上这些可以看出，严华银坚持的，语文就是语文，语文只能是语文，这就是语文的身份。

为了坚守语文的身份，严华银郑重地提出，语文要回归，他说这是"语文教学的出路和方向"，而且，从这出发，他提出了"三位一体"的语文学科性质、目标、任务实现的新概念，即：语文教材本身应充分体现"人文性与工具性的统一"；语文教师要不断修炼和提升自身的人文素养和精神；语文课堂要切实开展语言学习和训练，充分实现语文学科的工具价值。说到底，这是"语文本位"，而"语文本位"是"语文学科存在的全部理由"。其实，基础教育的所有学科都应坚守自己的边界，都应坚守"××本位"，都应各自归位。这本是一个理所当然的命题，而在实践中却都是那么糊涂，可见"语文本位"多么重要。有意思的是，严华银又说，这不是玩概念，不是占地盘。我领会，他是在课程背景下，在学科开放的理念下，提出回归。语文身份的坚守，不是回到以往封闭、保守的状态，语文本位不应狭隘，更不是僵化的，而应当让语文身份更加开放、更加丰富，更具语文自身的活力与魅力。我又领会，严华银坚持改革，但改革不是玩概念、玩花样，也不是争地盘和所谓的名声。他所主张的"语文要安静下来"，是要以平常之心，寻找回归之路，老老实实，踏踏实实，以语文人的身份，做好语文本身的事。

三

严华银提倡语文教学要安分守己，但又坚持改革以求突破，在让语文教学安静下来的同时，又要让它亮起来，这同样是一种求是的精神。

如前文所述，严华银用安分守己来表达语文身份的坚守以及语文人心态的平静，这是求是的精神，求的是语文教学的本义与深意，求的是语文教学的规律，求的是语文的独当之任。亦如前文所述，让语文教学安静下来，不是停滞不前，而是如周国平先生所说的"丰富的安静"，犹似一座湖，湖的表面是平静的，但湖的内部却是充满激情的涌流。所以，严华银又极力倡导，语文教学要亮起来。

所谓"亮"，不仅仅是说语文教学要有特点、有亮点、有个性，更重要的是通过研究进行改革，在改革中研究，在改革研究中突破，有新的进展，有新的境界，用严华银的话来说，是要逐步建立"语文教学的图景"。

在严华银的语文教学图景上，写上的是"'教'也不教"。他的意思是，教，在语文课上是少不了的，教与学始终是统一的，但教不是目的，让学生学语文才是目的，教学生学会学语文才是目的；而且，教，不是告诉，而是通过教师的组织、激发、点拨、引导，由学生自己来解决问题。因此，严华银说，"不教"是一种原则，是一种艺术，"相对于传统的教学而言，它对教师的学算、教学素养和教学机智都提出了更高的要求"，"不教"比传统的"教"不知要难出多少倍。不难发现，他所主张的"亮"是建立于以学生的自主学习为核心之上的，这才是语文教学的根本性变革，这样的"亮"才是具有全局性、根本性的"亮"，才有深度，有更高的立意。

问题并未止于对一般的自主学习的讨论上，严华银具有批判性，对当下的自主语文课堂、小组学习、探究学习，进行了探究与尖锐的批判。我们可以从中领会到，语文的求是，是需要批判的，批判是求是的武器，是求是的磨刀石。严华银这种批判的品质引导他去观察、分析，作深入的解剖，在解构的同时努力去建构。在分析自主学习的几个要件以后，他总结出自主学习的语文课堂必备的基本条件：时间保障，归还给学生自己学习的时间，这是前提；任务清晰，让学生直奔主题，在奔向主题的过程中发现问题，发现意义和价值，这是基本条件；先学后教，"先学"应当成为"铁律"，而"后教"是为了整合问题，在深度上和细节上研究问题，这是基本的教学结构；"教"也不教，"后教"时仍然让学生自主学习，这是境界；方法指导，整个教学过程都要激发兴趣，充满激情，呈现积极的学习状态。对于小组学习与合作学习、问题研讨与探究学习，严华银都作出了实事求是的分析，提炼了改进的基本策略、途径和方法。

日本作家村上春树曾经以"到底有谁能区分下午四时半的暮色和下午四时三十五分的暮色"作比喻，来形容当今社会同质化的杂志出版状况，种类纷复与各具特色难以兼顾。村上春树好像是在说语文教学。语文教学应当有共同的规律和基本要求，但不能同质化。让语文教学亮起来，就是让语文教学具有自己的特点、特色和风格。为此，严华银进行了研究，难能可贵的是，他往往以案例来进行对比分析，从中找出差异，彰显特色。这一研究方式是值得推崇的。

第四辑

种诗的人

任何时候，

都不能忘掉、

丢弃学生的自由，

尤其是宽广的自由；

任何时候，

都不能漠视、

指斥学生独特的观念，

尤其是精彩观念。

宽广的自由

　　中秋节，不能不关心月亮，不能不谈论月亮，尤其在中国的星空下。

　　外国人也谈论月亮，不过，所谈的主题似乎与我们不同。正是这不同，让我们体味出文化差异，以及文化差异下的儿童教育的差异，包括语文教学的差异。

　　一天，一群二年级的美国小学生和几位哲学家谈论起西部的月亮，这是他们的哲学课。他们刚开始学诗，所以自己选出来讨论的问题是："为什么诗要有节奏？"有一个女孩子前后摇晃着身体说："有节奏，就是在动。所有在动的东西，都有节奏。所以，一读诗，我们就可以摇头晃脑。"有同学不同意，说："月亮在动，绕着地球转，难道月亮也有节奏？我们怎么没看见月亮摇头晃脑？"又有同学反驳："你看不见月亮有节奏，不代表月亮没有节奏。你看不见的东西多着呢。譬如说，你看不见鬼。"一个黑人小男孩一脸严肃地说："我看见过鬼。有一天，我在黑黑的过道里走，一个鬼把手搭在我的肩膀上，就在这儿。"他指着自己的右肩。另一个黑人小男孩说："那是你哥哥。"哲学家都忍不住笑了。又一个小男孩发言了："月亮肯定有节奏，因为它孤独，它要写诗。星星就是它写出来的诗。"

　　这是一个真实的故事，我摘自 2012 年第 18 期的《新华文摘》，题目是《宽广的自由》。在忍俊不禁以后，我有一种沉思：自由，是儿童存在的本质，自由是儿童的天性，自由是儿童创造的保姆。但是，我们究竟有没有给儿童以自由？给儿童以自由，决不是施舍，而是"还给"。但是，自由宽广吗？孩子们拥有的自由如月亮所处的星空那么无垠、那么无拘无束吗？

答案肯定不一样，但有一样是肯定的：当下的语文课，孩子们的自由度还很不够。课改以来，我们鼓励、提倡学生多元的个性化阅读，可曾几何时，这种个性化阅读在诸多名义下已开始式微，甚或不复存在了；或以"有效教学"的名义，或以"接受性学习"是小学生最基本、最重要的学习方式的名义，或以"价值引领"的名义，总之是以"爱"的名义存在。我不否认有效教学，但最为有效，或最根本的有效是什么？如果每一个环节，以至每一个细节，甚至每句话都有效，这还是教学吗？孩子们还有创造的灵性吗？我也不否定接受性学习，但究竟什么是接受性学习，课改"更倡导"自主、合作、探究式学习的价值"更"在哪里？我们并没有真正搞清楚、搞明白。当然，我不否定价值引领，但什么样的价值需要引领？有的价值恰恰不需要引领。有时候，不需要引领恰恰是真正的价值，是最好的价值引领。这些，我们也没有真正搞懂。这样的爱，不是爱，而是压抑、控制、操纵。我真担心在一些"纠偏"的口号下，教学改革又回到课改以前去。我们需要警惕。

回到故事本身来。如果说，诗为什么要有节奏，还是有效的、有价值的，是"语文"的。那么，那些讨论，尤其鬼不鬼的，有效吗？有价值吗？是"语文"吗？如果否定这些讨论的价值及其过程，怎会有"月亮孤独，星星就是它写出来的诗"这样精彩的观念。任何时候，都不能忘掉、丢弃学生的自由，尤其是宽广的自由；任何时候，都不能漠视、指斥学生独特的精彩观念。而这一切都在自由的过程中。想来想去，还是"宽广的自由"最为准确，所以我用它来做题目，这绝不是抄袭。

语文要"轻轻的来，轻轻的走"

徐志摩的《再别康桥》，大家都很喜欢，也很熟悉，尤其是"轻轻的我走了，正如我轻轻的来；我轻轻的招手，作别西天的云彩"。

不仅中国人喜欢，他的母校也非常喜欢。大概三年前，剑桥大学在校园的草坪上竖起了一座雕像，上面是徐志摩的半身像，碑座上写下的正是徐志摩《再别康桥》的诗句，不过作了一些小调整，只有八个字："轻轻的来，轻轻的走。"它不是全诗的复现，也不是原诗句的照录，而是一种提炼和聚焦。可见"轻轻的来，轻轻的走"内涵丰富，这一"轻轻"的意象，有极具内涵、极有分量的哲理。

"轻轻的来，轻轻的走"，可以理解为对教师，尤其是对语文教师形象、心态、神态最好的描摹，抑或是最恰当的规定：教师在儿童面前，在语文面前，就应是"轻轻的"。这是最美的姿态、最美的话语、最美的形象。

对待儿童就应是"轻轻的来，轻轻的走"。儿童有自己生长的规律，一如卢梭说的那棵树。儿童自有的生长规律和节奏不能惊扰，更不能搅乱和破坏。著名哲学家、教育理论家、过程哲学的创始人怀海特，在他的《教育的目的》里专门讨论过"教育的节奏"。这位英国人非常明确地说："所谓教育的节奏，我指的是一个为有教育经验的人所熟悉、并在实际中要用的原则。"他又实事求是地说，讨论教育的节奏，可能没有新意，但"人们还没有对这个原则进行充分的讨论"。其实，教育的节奏源于儿童自身生长的节奏，当教育节奏适应儿童节奏的时候，教育才能有效地促进儿童更好地生长。这就是科学，就是艺术，就是道德。但是，"轻轻的"不只是一种步履和声响，也不只是一种语调和音量，准确地说，在步履与声响、语调与音量的背后，是对规律和特点的尊重、敬畏，是小心谨慎然而又是坚定的遵守。遗憾的是，我们一些教师总是无节奏地去影响学生、干扰学生，总是不能"在合适的季节收获合适的作物"。也许，这正是怀海特告诫我们的需警惕需信守的原则。

对待语文就应是"轻轻的来，轻轻的走"。语文是一门课程，是一种文化知识的集合体，是一种教育的形态，其实，它也是有生命的。语文的生命在于它是文化的存在，彰显的是文化的价值，而文化是人的生活样态和方式，而生活总是与生命内在地联系在一起。语文的生命还在于语言文字。语言文字里满渗着情感、精神、思想。在哲学家看来，连木头都有生命。海德格尔就曾经说过，从木头的外部看到木头的内部有一个活泼泼的生命。既是生命，语文就必然有自己成长、发展的规律和特点，它需要安静，需要"轻轻的"安抚，需要"静静的"滋养。可我们常常对它大声喧哗、吵嚷，动辄大刀阔斧地"改革"，让语文伤筋动骨、遍体鳞伤。这样的语文还是语文吗？这样的语文还能像清晨的露珠、雨中的花朵、天上的彩霞、小河上的一叶扁舟吗？对语文应当敬畏，认识、把握、遵循它的规律，静心倾听它的呼吸，"轻轻的"触摸它的脉动。这是语文教育的一种节奏，是生命的节律。当语文教师以"轻轻的来，轻轻的走"的姿态靠近语文自身节律的时候，才会有语文教育的神圣和精彩。

徐志摩《再别康桥》一诗最后这样写道："寻梦？撑一支长篙，向青草更青处漫溯；满载一船星辉，在星辉斑斓里放歌……但我不能放歌，悄悄是别离的笙箫……"亲爱的老师们，暂且不要放歌吧，面对儿童，面对语文，我们还是"轻轻的来，轻轻的走"吧，抑或，请在心灵深处"轻轻的"放歌吧。

站在哪里看风景

用感性表达理性，黑格尔将其定义为美。用这样的理念和方式来定义教育，我以为，教育好比引导学生去看风景，当然是前眼观察，后眼思考。

语文更应引导学生看风景。丰富的生活，多彩的文本，捉摸不定的语言文字，都等着教师带领学生从中发现美丽风景。于是，看风景，不只是观赏的过程，更是寻和遇的过程。所谓寻，是寻找；所谓遇，是相遇。正是在寻与遇中发现了美，学习了语言文字，学会了用语言文字去表达美，进而再去发现、创造和表达。语文教学永远是师生在看风景。

看风景的地方很讲究，在不同的地方会看到不同的风景。林清玄先生就这么说：20 岁时站在桥上看风景，30 岁时站在楼上看风景，40 岁时站在山上看风景，50 岁时站在云上看风景，80 岁时就在天上看风景了。他的意思很明确，也很有意思。其实，这并非是地点的问题，而是因年龄、经验的不同，看风景有不同的视角，因而也就有了不同的视野，也就发现了风景不同的美丽侧面。

年轻的语文教师，常常是站在桥上看风景，也许视野窄了些，见解浅了些，但意蕴却十分丰富、美妙。卞之琳的那首诗说得好："你站在桥上看风景，看风景的人在楼上看你。明月装饰了你的窗子，你装饰了别人的梦。"所以，年轻的语文教师不必心急地到云上、到天上去看风景，到云上、到天上去看，固然好，但会有飘渺之感。风景总是与人的经验、阅历相适应，不必心急，不能刻意，这是一个过程。

同样地，有经验的老教师可能会站在云上、天上看风景，会俯视，会审视，会一览无余，很有可能把这纷扰的语文世界看得清清楚楚、明明白白、真真切切，而不是雾里看花、水中望月。不过，也正因为此，有可能少了一点朦胧之美，少了一点梅贻琦所说的"大概或者也许是，恐怕仿佛不见得"的独特感觉。于是，我想，有经验的语文教师是否可以少一点成熟、少一点城府，而多一点童心、多一点幼稚、多一点模糊呢？年轻教师要向老教师学习，同样地，老教师也应该向年轻教师学习。

此外，我又想到，同一个年龄，可以有不同的看风景的视角，有时可以站在桥上、楼上，有时也可以站到云上、天上，在视角的变换中，风景看得更多姿摇曳了，更美了。

语文老师们，在上语文课以前，是否应首先考虑：今天我引导学生站在哪里看风景？

永远站在春天里

——语文教学应当有更深刻的变革

这是基于对当下语文教学改革的审视与反思。不仅是日复一日的日常课，即使是一些公开课，也没有真正触及到改革的关键处、要害处，还没有在一些根本性的问题上去研究、去突破。

这也是基于对语文教学改革的一种自觉追求和更高期盼。只有树立更高的目标与要求，只有增强"黎明的感觉"———一切对你来说都是新鲜的——你才会永远站在语文教学改革的春天里。

一、改革的关键和要害在哪里？

关键和要害在对教学本质的理解和把握。语文教学首先是"教学"。何为教学？商代甲骨文中已出现了"教"字，也出现了"学"字。通过分析，可以推断"教"字是由"学"发展而来的。战国时期的《学记》里提出了"教学相长"。宋人蔡沈的批注是："学，教也……始之自学，学也；终之，教人，亦学也。"可见"教学相长"的实质是"教即学"。到了现代，学者更认为"教育的核心是学习"。翻开《学会生存——教育世界的今天与明天》，你可以看到经典性的概括："教育的目的在于使人成为他自己，'变成他自己'。"据此，我们不难作出这样的判断：语文教学的核心应当是在教师的指导下学生主动学语文；当语文教学真正成为学生学语文的活动及其过程的时候，语文教学才回归到自己的本质。于是，那种以教师教代替学生学，甚至排斥学生学的语文课绝不是好课；那种让学生跟在教师后面被动"爬行"的、"有板有眼"的语文课绝不是好课。回归教学本质和核心的变革应当是深刻的。

二、改革的关键和要害还在哪里？

关键和要害还在对语文教学"独当之任"的理解与把握。何为语文？语文何为？也许"语文就是语文"是一个最简洁、最深刻的回答。其实，"语文就是语文"的实质，就是叶圣陶先生所指出的语文教学的"独当之任"。所谓独当之任，就是特殊之任，就是"唯我之任"，显然，它具有排他性。王尚文先生对此作了解释："语文教学的焦点应该是话语形式，即怎么说，而非说什么"，因为，"内容不可能离开形式而存在，也不可能先于形式而存在"。这就是语文教学的核心。王尚文先生可谓一语中的。当下，大多数教师仍然在"课文写了什么"上下工夫，偏偏忘了"课文是怎么写的"，"是怎么遣词造句、谋篇布局的"，是"怎么实现作者意图的"。总之，轻慢了甚至抛却了"话语形式"。这样的现象还普遍存在着，这样的语文课绝不是好课。看来，回归到语文教学的独当之任的变革应当是深刻的。

教学的本质与语文教学的核心问题，最后可以归结到对学语文的人——学生的认识和发现上。因为，语文教学变革是否深刻的标志是，学生有没有学好语文；学生能不能、会不会学语文，是语文教学变革是否深刻的最终检验标准。其实，教育哲学早就指出：学生的最伟大之处就是他们有一种可能性，或曰学生就是一种可能性。可能性就是"还没有"，所以需要语文教学去促成；可能性就是创造的潜能，所以需要语文教学去开发；可能性就是"将要是"，所以需要语文教学去促成。触及到学生"可能性"的变革应当是深刻的。

语文教学改革永远是一个过程，但只要真正发生深刻的变革，我们就一定会永远站在春天里。

"吻醒"？"唤醒"？

——观《白雪公主》演出时引发的思考

　　《白雪公主》是个美丽的经典故事，不少人是在《白雪公主》的陪伴下成长、进步的。至今，每当想起这一故事，我们的心就会温暖起来。当今的孩子更需要这样的陪伴和引领，这个故事让他们逐步懂得什么是善良，什么是残酷；什么是美丽，什么是丑恶；什么是勇敢，什么是怯懦……

　　一所学校演出《白雪公主》童话剧，所有小演员都很认真、很投入，观众也随着剧情发展，情绪不断变化。当可恶的王后指使猎人把白雪公主杀死在森林里，小观众唏嘘不已，夹带着愤怒；后来，王后又设法让白雪公主吃下一个有毒的苹果时，小观众又着急地小声叫了起来；当可爱的七个小矮人，穿着各色衣服上场，把白雪公主安置在水晶棺材内并轮流监护时，台下一片寂静——道德的力量可以让心灵在平静中产生震撼，德性是美丽的。

　　有意思的是，台上的演出，稍稍改变了剧中的规定动作。原本是邻国的王子路过，含情脉脉地凝视着白雪公主，情不自禁地俯身吻醒了她，公主从口中吐出了有毒的苹果；演出时改为，王子唤醒了白雪公主。一个是"吻醒"，一个则是"唤醒"，是有差异的。演出后，专家和教师议论起来：如果让学生演员真的去吻白雪公主，显然是不合适的；如果真这么去吻，台下，一定是一片笑声，演出会很尴尬。

这完全是想象与猜测，不无道理。这里，我们不必去讨论应该如何尊重原作，因为演出时作些变动或改造，无可非议，世界舞台上此类的改编，可以说是不胜枚举。我们要讨论的是：果真能让小学生演员在公共演出时，去吻异性学生扮演的白雪公主吗？一如以上专家、教师的议论：不合适，不行。言下之意是，这关乎到品德教育，关乎到"性"这一敏感话题，负面影响一定远远大于正面教育，说不定导致整个演出前功尽弃。

我并不坚持一定要按剧本规定的动作去演出，不过，对专家、教师们的议论倒是质疑的，因为，这些都是成人的视角，只是基于成人立场的猜测。假如我们转换一个视角呢？假如我们用儿童的视角去看呢？孩子们会怎么说？怎么做？又怎么想？会有两种完全不同的意见吗？他们会怎么辩论？结果会达成共识吗？如果不能达成共识，我们该怎么办？……结论不得而知，我也只是想象与猜测。不过，我已建议校长去组织一次学生讨论。

其实，学生们最后说了些什么并不重要，重要的是，我们任何时候、任何场合都不能只站在自己的立场，用我们惯有的角度与思维方式去揣测，去作某种决策。当教育中遇到种种问题，或是困惑的时候，我们不妨先听听学生的想法，不妨大胆地让他们自己去作决定。这一过程，本身就是一个学生参与的过程，是培养学生学会民主、协商的机会。否则，教育的决策可能是不符合学生意愿的，教育最终也会是不成功的。这方面的教训还少吗？

我期待下一次学生们经过协商后的《白雪公主》再次演出……

文化：在丰富和深刻的阅读中

　　文化是个"怪物"：它没有腿，却能到处行走，无处不至；它没有翅膀，却能任意翱翔，无孔不入。文化这个"怪物"很重要，没有它的陪伴，我们的人生就会缺乏实质，而成为昆德拉所说的"存在之轻"；没有它的充实，我们的生活就会干瘪，就会在昆德拉所说的"缩减的凝涡之中"。我们要永远追寻这个魅力和张力无限的"怪物"。

　　其实，文化有腿也有翅膀，只不过它的腿必须在生活的母体里生就，它的翅膀必须在思想的天空里练成。我们应该从生活中去发现和提炼文化，在思考中去认识和提升文化。但是，文化还"怪"在不能刻意地去追求和雕琢，因为刻意中有功利、浮躁和肤浅，刻意追求本身就偏离了文化的品格，雕琢本身就失去了文化的品位。文化的腿和翅膀最愿意在真实、自然、丰富的环境里生长和飞行。

　　说起土壤，我们常常忘却土壤的一个十分重要的成分，那就是书籍。尤里·邦达列夫说：书籍"是遗嘱的执行者，是所有时代、所有民族精神珍品的无可责备的保管者"。叔本华说：读书仅仅是独立思考的一个代用品，只有当你自身的才志枯竭时，你才应去读书。尼采说：读书，"散步在别人的知识与灵魂之中"。读书是为了获得和继承文化，也是为了创造和发展文化，读书本身就是一种文化。很难想象，没有书籍，学校会成其为学校，不读书，会铸造高尚的灵魂和学校精神。但是，值得注意的是，一些教师读书只读教材和教辅，这是一种窄阅读；读的书只是"快餐读物"，那是一种浅阅读；读的书追求通俗和轻松，那是一种几成低幼化的"奶嘴文化"阅读。教师文化、校园文化之腿之翅膀可不能在这种贫瘠、浅薄的土壤里生就；即使生就，那也是软骨的，走不远、飞不高。

我想说的是，在热烈讨论学校文化不断深入的今天，万万不能忘掉文化的载体——书籍，万万不能轻慢阅读，否则，学校文化建设就失去了根基，而且可能走向形式和浮躁。学校文化的高尚和伟大，往往在全体师生的经典阅读和不断思考中。让我们用丰富和深刻的阅读去迎接和追寻文化这一可爱的"怪物"。

把学校建在图书馆里

　　所有学校都有图书馆。图书馆建在学校里。

　　图书馆是学校的文化窗口、文化高地，图书馆的形象代表着学校的形象，透过图书馆可以猜想学校的文化追求和文化境界。因此，走进学校必定要去图书馆，坐在图书馆，就好比走遍了学校的每个角落，走进了每个人的心。

　　我突发奇想：是图书馆建在学校里呢？还是学校建在图书馆里呢？从形式上看，从空间来看，图书馆还建在学校里，这时，图书馆是个物理学的概念。而学校建在图书馆里，已超越了空间，进入一种意境，形成一种文化气象。此时，图书馆已是一个文化概念。

　　学校建在图书馆里，是真实情境的描述。学校是一种文化的存在，是一种文化形态。学校是学习的场所，学习就得读书。在哪里读？在教室，在走廊，在操场，在宿舍，在学校的角角落落……到处都有读书人，到处都书声琅琅，这才像个学校，这才是一所好学校。到处都有书，到处都有读书人，到处都洋溢着读书声，学校不就是个图书馆吗？学校不就建在图书馆里吗？这种真实的情境，飞扬着文化的气息，丰盈着师生的心灵，让人浸润在文化之中，接受文化洗礼。

　　学校建在图书馆里，是一种理念的光照。马克·吐温说：如今不读书就是个文盲。苏霍姆林斯基说：一个不读书的学生就是个"差生"。学校建在图书馆里，意指所有的人，无论是教师，还是学生，无论是学习先进的学生，还是学习略显后进的学生，都得读书，读书是教师和学生天经地义的义务和责任，是所有教师和学生的文化使命。此时，这样的义务、责任、使命已形成了学校教育的核心概念和核心主题，而这一核心概念、核心主题已是核心理念的折射。在核心理念的关照下，学校的图书馆，还有学校的教室、各种专用教室已成为一片田野，田野里的花草，还有那一棵棵的树，就是那一本本的书，有书的田野永远没有天黑，有书的人永远不会变老。把学校建在图书馆，就是追寻这样的理念和意境。

学校建在图书馆里，是一种文化愿景的追求。图书馆为每个人开启一扇又一扇新的窗户，从窗户可以瞭望地平线、瞭望海洋、山脉、平原，整个世界都在自己的心中。又何止是图书馆呢？教室、实验室、美术室、舞蹈房、音乐厅，以至宿舍、餐厅，都敞开了一扇又一扇新的窗户，它们已俨然成为图书馆。此时，整个学校与偌大的世界、浩瀚的天宇联系在一起，历史、现在、未来都被"收"了起来。于是，图书馆和学校就是世界，就是未来。这是学校的文化愿景：从图书馆出发，从学校出发，走向世界和未来。

往深处讲，无论是图书馆，还是学校，都离不开人，是把图书馆建在学校，还是把学校建在图书馆，说的都是人，都是关于人的读书，都关乎读书人。只有读书，人才会获得发展的原动力，人才会在读书中进步。人在哪里，图书馆就在哪里，当学校里的人随时随地都在勤奋地、刻苦地读书，读书成为学校里所有人的工作、学习、生活方式的时候，学校真的是建在图书馆里了。

期待"小花"的开放

《阅读·教学研究》改版了。

改版后,《阅读》的定位是"大阅读",而"教学研究"自然亦应是"大教学研究"了。所谓"大",不是形式之大,而应是内涵之丰厚和深刻。"大教学研究",一定是聚焦于教学的一些基本问题,这些基本问题就是根本问题,是一些"大"问题。而"教学研究"一定是就这些基本的亦即根本性的问题,进行深度的剖析,提出积极的富有启发的建议。因此,《阅读·教学研究》有了大视野,形成了大格局,引领我们走向问题的深处,走向教学及其研究的大境界。我们满心喜悦地期待着。

不过,我又转念一想,这些"大",其实是"小",而"小的,总是美的","小的"总是"大的"。《阅读·教学研究》正是在大视野下,从小的地方开始;其大格局,也正是从深刻的细部掘进。这样的"大"才是实的、深的,因而是美的。

阅读乐黛云先生刊登于《文汇报》的一篇小文,但却觉得它特别大气。乐黛云说:"安徒生的一篇童话感人至深,至今仍留在我心中:一颗小豌豆不像强壮的同伴,飞不进高楼大厦的大花园,只落在一个小户人家门前的石头缝里,开出了一朵美丽的粉色小花。这户人家有一个生病的小女孩,她天天看着它,得到了很大的安慰,粉色小花因为带给了女孩快乐,感到非常骄傲。在这瞬间他们彼此都完成了生命的意义。"好美的粉色小花啊!

《阅读·教学研究》好似这朵粉色的小花。小花的意义在于"彼此完成生命的意义"，生命的意义是最深刻的意义。也许，《阅读·教学研究》正是从一个小问题，生发了大智慧；从一个小事件，引发了深思考；从一个小细节，透视了新境地；从一个小实验，印证了一种现代教育理念，提炼了一种个教育原则。改版后的《阅读·教学研究》以这样的品格和风格，引领教学研究，推动教学改革。

不是所有的小花都是大的、美的，关键是这朵小花开在哪里。开在哪里呢？它要开在教学现场。教学现场，一片广阔、丰富的实践土壤，土下是一粒粒草的种子，是极富生命力的草根。是草的种子，是草根的力量，让田野充满无限的希望。只有把目光紧紧投向教学现场，在教学现场开掘，才会有新的发现和新的创造。教师就好比是草根，在课改深化的今天，他们再也不是沉默的大多数，而是教学的研究者、创造者。教师精耕细作，田野才会长出一朵朵小花，满田野、满山坡。

这朵小花要开在书籍里。书，海洋；海洋，无边无垠。一朵朵浪花似一朵朵粉色的小花，浪花里飞出一支支快乐的智慧之歌。不阅读，不爱阅读，不会阅读，怎会完成生命的意义呢？阅读时，自然联想起教学现象，阅读中的感悟自然与自己的教学发生链接，师生的生命意义就在发生链接的那一瞬间，如粉色的小花开放了。

袁枚诗云："苔花如米小，也学牡丹开。"《阅读·教学研究》改版后，花开了。其实，它一定是牡丹。

用猜想定义阅读

关于阅读，有不少定义。比如，一位英国诗人将阅读定义为：如果将我关在一间房子里整整一年，给我一部电影，还有一本书，二者取其一。诗人说，如果选择电影，一年后从房子里出来，我会发疯的；如果选择书，出来后我就变成另外一个人。比如，一位美国老太太将阅读定义为：读书，就是白日里做梦。白日做梦，是清醒的，是需要付诸实践的，因而也是可以实现的。还有不少定义，这里就不再枚举了。

这么多的定义，说明阅读是个人化的、个性化的行为，其最高境界是自由，即根据个人的需要和喜欢的方式来阅读，适合的才是最有效的、最好的。个人化、个性化，并不否认、更不排斥阅读的一些共性的要求，比如，安静、专心、思考，等等。正因为此，我对教师或学生阅读规定必读书目向来是不太赞成的，尤其是对教师。在一些会上，总有教师希望我向他们推荐书目，我总是说，我不推荐，你们可以去逛一下书店，一定会发现你们需要读的书。

以自由为阅读的最高境界，其实也是对阅读的一种定义。这一定义对教师的有效阅读起了很大作用。对此，我有真切的体验。记得"文化大革命"刚结束时，大概是《人民文学》上登载了一篇报告文学《哥德巴赫猜想》，作者是徐迟先生。我如饥似渴地读完，好不激动，心想，当今还有这么出色的可爱的数学家？还有这么杰出的文学作品？最为奇特的是，我阅读时竟然也发生了猜想：那"1+3"呢？那计算的草稿纸怎么处理的？如果是我呢？数学上有哥德巴赫猜想，那文学上呢？文学上的猜想与科学上的猜想相同吗？我常常想象自己在一间房子里，做着文学的猜想题……如今回想起这一情景，都觉得自己幼稚，是一个文学青年。但是，从中我却悟到了一种阅读方式，我将它叫作猜想性阅读。

猜想性阅读一定是主体性阅读。阅读是别人不能代替的，也是别人不能强制的，阅读是吸引人的事，因而这是一种文化的方式。猜想性阅读一定是丰富自己阅读框架、认知框架的阅读。每个人都有自己已有的知识积淀，长期以来的阅读逐渐形成了自己的认知框架。猜想性阅读是对自己阅读框架的丰富，有时还会是突破。此时的阅读已从文本出发，张开了想象的翅膀，飞离文本，飞向远方，飞向不知道名字的地方，于是认知框架发生了改变，变大了，变远了，变深了。

儿童更需要猜想性阅读，因为儿童有另外一个名字：想象。阅读给儿童一个平台，儿童凭借阅读登上这高高的平台，瞭望远方，想象未来。儿童是在想象中长大的，想象是儿童成长的第三种力量。基于此，我建议教师不必去干涉儿童的阅读，不要打扰儿童阅读的节奏，给他们以更大空间、更大自由，鼓励他们胡思乱想。我猜想，从本质上说，儿童的阅读是不需要指导的，只是吸引他们、"引诱"他们，即唤醒他们，点燃他们。

与以已有的认知框架去阅读不同的是，还应有怀着空白之心去阅读。那就是把自己已有的阅读和认知搁置起来，空出心灵去阅读。为什么呢？因为，文学从来都是未完成的，阅读人也是未完成的，只有在阅读中通过猜想，文学作品阅读人才会慢慢地饱满起来。未完成的心态是留出空白之心的心态——给阅读留出猜想的空间吧！

也许，我用猜想来定义阅读是有一定道理的。

洪氏语文的魂与支柱

　　给不少老师的教学改革实验写过所谓的"点评"，而且写得比较流畅。但是，面对洪宗礼先生的"中学语文教学整体改革的实践与研究"，却迟迟不敢下笔，不仅是不知从何说起，因为它太丰厚了；更重要的是，惶恐自己说不准，因为它太深刻了。正是这样的心情，让我再次回到他的"中学语文教学整体改革的实践与研究"中潜行、触摸、探究、澄明。结果是，我从这一成果的背后、深处，触摸到的是高贵的心灵、独立的人格、创新的精神；抑或说，洪先生的人格、学说、品质已凝练在他的语文教学整体改革中。也许，洪先生映照了一条法则：高尚的人才会有高尚的作品和伟大的成果。

　　洪先生对语文教学有个基本的判断：语文是个复杂的多面体。立体性的语文，要求我们从不同的角度、不同的侧面、不同的要素去认识和探索。用洪先生的话来说，就是"要剖析语文各种要素之间的关系，揭示语文教学的基本规律，形成独具个性的语文教学体系和教学模型"。显然，这样的判断和思路，体现的是一种大视野，生长起的是一种大智慧，形成的必定是一种大格局。唯此，才符合语文的本质特征，也才有可能从根本上解决长期以来语文教学存在的肢解割裂、低效高耗的状况。专家学者们，以及广大教师们一致认为，洪先生创造了中学语文教学体系，是十分准确的。也因为这一体系，洪先生的语文教学才被称为"洪氏语文"，成为我国中学语文教学的一个重要的流派。

洪先生创立了这一体系，有个魂：育人，用大语文育人。语文育人，必然超越知识，也可能超越单纯的能力，当然更超越了分数，它坚定地指向人，指向学生发展。在洪先生的语文教学改革中，学生永远是目的，永远是主体，永远是学习的创造者，而不是工具，不是技术，不是"器"。指向学生，必定指向学生发展的核心素养，在核心素养的统领下，研究开发语文学科核心素养，再由语文学科核心素养培育健康发展的学生。洪先生认为这是一个塑人的过程，"塑"也，化也，文化也，熏陶也，优化也。倘若无这一魂，语文再大都小，再称作体系也只是碎片而已。体中有魂，魂有附体，是"洪氏语文"最为崇高的地方。

洪先生创造的这一语文教学体系有三根重要的支柱："五说"语文教育理论、语文教育"链"、"双引"语文教学艺术。"五说"成功解决了语文教学的工具性和人文性关系，找准了语文教学端点，把教与学、学与思、开发与渗透等诸种关系和谐地统一在一起，这是关于语文教育理论的新发展。"链"是建构语文科学体系的核心，突破了简单的思维方式，"用几个简单的概念覆盖了语文教学系统中诸元素，努力展现这些元素之间的关系和运行规律"。"双引"，其教学艺术，在于"引"而不是一味地讲解和简单地训练，引就是"引出"、激发、引导，让学生主动学，确立了学生学习语文的主体地位。三根支柱，既是实践性、操作性支撑，又是一种理论性支撑。而三根支柱间又相互支撑，相辅相成，构成一种体系。因此，称其为"洪氏语文"恰如其分，称其正在向学派发展也当之无愧。

12 岁以前的语文：孩子们幸福的礼物

"12 岁以前的语文"已成为一种文化符号，渐渐深入到儿童和教师的心里。这一符号演化为，不，准确地说，是孕育为一种文化基因，进而发育为文化胚胎，将会伴随着孩子们的一生，成为"带得走的能力"，成为一种智慧。

之所以如此，那是因为"12 岁以前的语文"具有深刻久远的意蕴和鲜明突出的优点。其一，"12 岁以前的语文"是"儿童"的。它站在儿童立场上，从儿童的现在与未来出发。尽管是成人编写的，但它基于儿童，与儿童的经验、兴趣与未来发展需求相契合，儿童喜欢它，更需要它。其二，"12岁以前的语文"是探求规律的。不称"小学生的语文"，而称"12 岁以前的语文"，意在摸索、深入儿童的心理。如果教育规律不与儿童身心发展规律相契合、相一致，教育是不可能成功的。语文教学亦然。其三，"12 岁以前的语文"是影响儿童一生的语文。同样地，在"小学语文"以外，抑或说将"小学语文"称为"12 岁以前"的，是将其置于一个人终身发展的理念与框架之中，让年段的语文与"终身语文"联结起来，它就不会割裂、不会孤立，而成为"终身语文"的一部分和重要基础。其三，"12 岁以前的语文"具有重要的延展性。"以前"，那么"以后"呢？"以前"必然有"以后"，"以前"是为了"以后"，"以后"更重要，但没有"好的""以前"就可能没有"好的""以后"，准确地说，是没有真正的好的"以后"。这种延展性，指向了人的语文核心素养。

正因为此，"12岁以前的语文"，与其说是学生学习的一门课程，不如说是学校馈赠给学生的一份幸福礼物。礼物，幸福的礼物，学生领受时，必定有快乐的心情、幸福的体验，也才必定有成功的感受和继续向前的力量。这就超越了"负担"，拒绝了痛苦和失败。这份幸福的礼物伴随着学生在幸福的语文学习之路上行走，而且走向更幸福的彼岸。其实，这份幸福的礼物，不是"馈赠"的，而是教师和学生共同创造的。创造的过程是幸福的过程，幸福的过程当然会有幸福的结果。确实，"12岁以前的语文"正是基于这一先进的课程理念和课程定位。

说到创造，肯定会论及"12岁以前的语文"的创造性。"12岁以前的语文"是对现有教材的拓展或者说是超越，是创新的语文课程。其意义和价值在于，说明教师是教材的创造者，既有需求，又有能力。这是一种超越和变迁，从教材的"教"者，成为教材的"创"者，从课程教材的实施者走向课程的研究者、开发者、创造者，这就是所谓的"课程领导"。

南京市北京东路小学，在校长、特级教师孙双金的引领下，研究、探索语文新课程，从自发到自觉，从粗糙到精致，从合作到独立，从一般水平到较高规格和品位。难能可贵的是，在他们初步形成"12岁以前的语文"的基本框架后，立即进入实践，边实践边研究边完善，实践的过程就是研究的过程、完善的过程。他们又建构了另一个框架，即实践框架。这一实践框架，由教材解读—教学案例—教学感悟三大部分组成，较好地解决了怎么教的问题，而怎么教中又"嵌入"了为什么教。课程框架、实施框架形成了"12岁以前的语文"的完整框架，这是一大进步。当然，"12岁以前的语文"还有很长的路要走，可能还有一个框架要建构，那就是"教师框架"。所谓"教师框架"，是指教师研究开发、设计、实施"12岁以前的语文"所必备的素养以及核心品质，包括知识、能力、方式和智慧。相信这一框架会建构起来的，因为，北小的校长和教师有这样的信心和能力。我们期盼着。

语文教学的"好声音"

在首届北京国际儿童阅读论坛上，特级教师周益民上了一堂课:《声音的故事》。

声音无处不在，但我们对声音既熟悉又陌生——熟悉的东西往往是陌生的。从熟悉到陌生，再从陌生到熟悉，正是一个教育的过程，周益民将这一过程定位于：究竟什么是"好声音"。确实，好声音应当是有内涵的。这样的定位，引导学生从日常用语的好声音走向具有文化意义和教育意义的好声音，进而用有意义的好声音去判断、选择日常生活中的好声音。这样，同一个"好"却有了质的区分，有了价值的提升。不难理解，主题阅读的"主题"是一种核心价值和意义，一个又一个如此的"主题"会让学生积淀、内化为自己的价值，逐渐寻找最大公约数，扣好人生的"第一粒扣子"。

周益民选择了3篇关于描写声音的文章：张秋生的童话《给狗熊奶奶读信》，美国贝杰明·爱尔钦的童话《世界上最响的声音》，日本新美南吉的《竹笋》。3篇文章有3个不同的视角，道出了好声音的不同内涵。《给狗熊奶奶读信》说的是河马给奶奶读信，粗声粗气，连"亲爱的"也不加，似乎是命令的口气，而夜莺姑娘喝了点露水润润嗓子，同样没有用"亲爱的"，但从语气中听出来了，比加"亲爱的"还要亲热，奶奶说小孙子是个有良心的孩子。周老师引导学生体认好声音之好，在于真心、真诚。《世界上最响的声音》说的是"噼里啪啦城"所有的人，一起张大嘴，但都不发出声音。

正是在一片寂静中，听到了最美妙的声音，那是小鸟的歌唱，那是微风中树叶的低语，那是小溪潺潺的流水声……周老师引导学生认识大自然的声音，"安静"是最好的礼物。《竹笋》说的则是，小竹笋在地底下，听到远方声音的呼唤，于是老爱往远的地方跑，终于在篱笆外探出了头，听到了美妙的笛声，而它自己后来成了一根漂亮的横笛。周老师引导学生去体认，有心愿、有追求，才会听到美妙的声音，才会发出美妙的声音。

　　3个故事短小精悍，都十分生动，洋溢着童趣，又从3个不同的视角解读了究竟什么是好声音。孩子们渐渐理解了好声音是来自内心的，来自大自然的，来自对梦想的追求的。而且，好声音是多元的、丰富的。正是在这样的阅读教学中，我听到了孩子们的好声音，听到了教育的好声音，听到了儿童阅读论坛的好声音。

　　以上说了这么多，我还想说的是周益民的教材观，抑或说是他的课程观。我们常说，教师不只是课程的忠实执行者，更重要的是课程的创造者，但怎么落实，教师们总是困惑，感觉难以落实。周益民一直执着地研究，走自己的路子：根据课程标准，从儿童的生活出发，从人类丰富的优秀的文化中寻找材料、开发资源并加以联结，产生意义的关联作用，组成一个又一个主题，形成一个又一个专题。完全可以说，周益民是一个优秀的课程创生者、教材编创者。当下，我们需要对现行教材加强研究，与此同时，还需要鼓励、提倡教师自己去开发教材。这样，呈现在学生面前的才是一个开放的、丰富的世界，在这样的世界里听到学生的好声音，教师也才能听到内心的好声音。如果，我们安静下来，即使不用"亲爱的孩子们"的字样，也会像小竹笋那样听到并创造语文教学的好声音。

开放式阅读教学的规范与创新

阅读了张云鹰的新作《开放式阅读教学》，我很有感触。我更愿意称张云鹰为老师，而不是校长。因为，她虽然是校长，但有自己的学科专业。一个有学科专业的校长，是有独特的优势和话语权的，更何况，张云鹰老师的学科专业又是如此之好。

开放教育，我们并不陌生，早在 20 世纪 90 年代时，它就风生水起了。近年来，开放教育似乎有点沉寂，这是不是反映了我们一种不太好的心态：追求"时尚"。可是，张云鹰不，她一直坚守开放教育，一直致力于开放式阅读教学的研究，这是一种好心态、好品质、好方式。

其实，无论是开放教育，还是开放式阅读教学，都并不落后，很时尚。所谓"时尚"，是说它直抵教育的时代精神，直击教育的现实弊端。著名学者江晓原曾经写过一本书《交界上的对话》。我理解，开放教育就是在交界上展开多方面的对话，开放式阅读教学就是打开语文的边界，向生活开放，向世界开放，向自己的心灵开放，在更广阔的边界上瞭望与对话。江晓原是在全球化背景下来讨论的，不难想见，张云鹰的开放式阅读教学是具有全球化背景下的变革意义的，很现代，也很时尚。

亦如前文所说，语文有自己的边界，但是这一边界既要清晰又要模糊。所谓清晰，是说语文就是语文，不能在"开放"中丢失语文的特质；所谓模糊，是说语文的边界要拓展，要主动与其他学科交流、交融，不能拒绝，不能封闭。这样，语文就会在"混沌的边缘"上生存。"混沌的边缘"，带来的是模糊思维，而模糊思维会产生新的能量，因而会有新的创造。张云鹰的开放式阅读教学正具有这样的特性。

张云鹰的开放式阅读教学的可贵之处是有一个完整的建构，她正在探索并已形成了开放式阅读教学的体系。这一体系不只是在第二章，而是在全书。背景—概念—目标—形态—特征—原则—分类—课型—方法—评价，这的确是个体系。从这个角度看，张云鹰完全有可能建构一个具有课程意义的学科教学新领域。没有功力，没有实力，没有长期的坚持研究，是达不到当下这个水平的。这令我们感动和钦佩。

张云鹰的开放式阅读教学的突破之处，在于对"开放"密码的寻找和阐释。在分析开放式教学的全域性、相对性、前瞻性之后，她认为，密码在于求活，在于注重信息交流的多向性；在于求异，允许答案、结论具有多元性；在于求"大"，拓展阅读教学的大课堂、大生活。所以，开放式阅读教学不只是形式上的打开，更重要的是心灵的解放，是自由的创造。她所概括的动态性原则、创造性原则、主体性原则、引导性原则、综合性原则等就是指向深处的。

张云鹰的开放式阅读教学的创新之处，在于对阅读教学的整体性与阶梯性、规范性与创新性的区分和联结的阐释。整体性与阶梯性关系的提出，很好地解决了一开放目标就无序了、梯度被淡化了的问题。她坚持开放式阅读教学始终是有序的、有梯度的。规范性与创新性关系的提出，很好地解决了一开放似乎就丢弃了教学必要的规则，但又必须引导学生去创造。可以这么说，开放式阅读教学是规范与创新科学结合的过程。

张云鹰注重实践操作，具有扎根性理论和实践智慧，形态、形式、方法，还有不同的课型及不同的领域，具体可触，操作性强，因而可学习、可推广。研究能够达到这么精致的程度，不在课堂里长久"泡""磨"是不会成功的。

开放教育的内涵中有一个意义，那就是联结。张云鹰用开放式阅读教学把语文与外界联结起来了，把语文与内心联结起来了，最终形成新的语文学习共同体。张老师内心是开放的，她的语文教学是开放的，共同体就在开放与联结中建构起来了。这是一种气象。下一步怎么走呢？张云鹰老师会有思考的。

语言：意义、风格与儿童

一个教师，一个语文教师，一个好的语文教师，离不开语言，离不开对语言的修炼与淬炼。为此，她应该怀着一颗真诚之心，充溢着生活的情趣，跟着语言去旅行。——这是刘宁深切的体悟，真实、亲切、不乏些许幽默，讲述中透出一股言语的灵气，折射出她心灵的纯真。读她的文章，仿佛也跟着她，随着语言去旅行。旅行中，对孩子的爱不仅涌上心头，旅行中的收获，犹如于清风中呼吸一般——语言有说不清、道不明的魅力，而刘宁正是有这样的语言魅力——她是一位优秀的语文老师。

刘宁为何如此重视语言？为何直到现在以至将来，还是执着地跟着语言旅行？这固然与她的生活经历和职业生涯中的经验有关，这经验归结为一点：教师，尤其是语言教师，离不开语言。语言永远是教师，尤其是语文教师的“第一功课”——是必修课，永远毕不了业。跟着语言旅行，极为形象地告诉我们：语言是我们须臾不可离开的伙伴，只有在与她相伴的旅行中，才会生长起言语的智慧，在沁人心扉中获得灵性以至神性。舍此，绝不能自称是教师，是好的语文教师。

不过，从刘宁的讲述中，无论是真心实意的语言，还是清晰利落的语言；无论是精准有力的语言，还是咋咋有味的语言；也无论是学习的乐趣，还是教学的节奏，或是生活的美妙，总之，语言是个世界，它有无限的美妙。可见，刘宁对语言的价值、意义有着深刻的认知和较为独到的见解。跟着语言去旅行，实质是跟着意义去旅行，抑或说是在旅行中产生意义。从语言的意义出发，才会走进语言的内部，才会有理性的提升，而不只是情感的驱动，才会走向自觉，而不只是随意的、自发的。正因为此，刘宁才会在文章的开头与结尾都这么说：语言，这家伙；跟语言这家伙磕着劲；继续与语言黏黏糊糊。刘宁的内心总是充溢着对语言意义的寻找和创造。这成为她激情伴随下的理性追求。

的确，语言是一种意义的存在，存在于生活中，存在于实践中。《马克思箴言》中说："语言与意识有着同样久远的历史。语言是一种实践的意识，是一种既为别人存在，也为我自己存在的现实的意识。语言和意识一样，正是由于重要，由于有了和他人交往的迫切性需要才产生的。"语言学家索绪尔也强调："一个单词的发音和它所指的物体和动作之间也没有什么本质的联系。""毋宁说发音和意义有关，"因为，"每一个声音单位所指定的心理模式、符号主体某种意义上就构成了一种与图腾分类相符合的语言。"可见，教师修炼自己的语言，学生学习语言，应当在意义的找寻和创造中，而意义的获得又在生活里。旅行，是一种生活方式，在生活中学习语言，从生活的语言走向教学的语言，再从教学的语言回到生活的语言，真是一个幸福的轮回——刘宁正在揭开语言的秘密。

语言的意义不仅在于生活，还在生活中的人。刘宁的语文教学中满是人，是学生，是学生在学习语言，又是学生在发展语言。语文教学是为学生服务的，又是学生在丰富语文。而学生，在刘宁的理念中应当是儿童。当然，你不能说学生与儿童有什么本质的区别，但儿童这一概念至少更有亲切感，更有孩子味，突显的不只是学习者，还是生活者。刘宁深情地说："先把学生装进心里。""学生走进了心里，备课也变得亲切了，上课说话变得自然。说着真心实意的话，跟孩子的交流变得有趣了。""儿童视野、儿童精神、是每一个老师的入门课，儿童丰富纯真的心灵世界，将引领教师走向真正的教育天地。"在刘宁的心灵深处，儿童是语言的精灵，是语言魅力之所在。

国外曾经把风格与语言联系起来，说"风格是语言的修辞"。可见，教学风格与语言密切相关，锤炼教学风格不妨从锤炼语言开始，教师的语言风格在很大程度上影响着并彰显着教学风格。语言的真心实意、清晰利落、精准有力、啊啊有味，不正是刘宁的语文教学风格吗？其实，这种语言风格，具有美学精神。从语言走向语言风格，从语言风格走向教学风格，从教学风格走向美学精神，这是刘宁语文教学发展的走向。当然，其间，永远是她的思想和理念。对此，我们热切地、乐观地期盼着……

附 录

成尚荣　从书里获得一双翅膀

采访：林茶居

采访时间：2015 年 8 月 21 日

采访地点：南京市玄武区傅厚岗麦当劳餐厅

我写作从来不打草稿

教师月刊：成老师你好！退休这些年，你的思考、写作，一直没有停歇，创作力很旺盛，感觉还是原来那种节奏。更主要的是，关注的主题、内容基本不重复——可能有一个大主题，比如儿童研究，在这个大主题下不断深入、推进。

成尚荣：说到写作，我想我还是比较勤奋的。

有的人写作，属于有感而发。我觉得有感而发体现的是对事物的敏感性，在一定程度上是一个人的智慧的反映，这不是坏事情。但如果你说我的写作只是有感而发，那肯定不完全对。总之呢，每当听到这样一些话题时，我会提醒自己，我应该做的是系统思考，深入思考。

教师月刊：你的退休生活是怎么安排的？

成尚荣：没有什么刻意安排，我每天都要看报纸，看杂志，看书，如果家里没有什么特别的事情，或者不用开会、不必出差——我尽管退休了，但依旧有这些事务——我都坐在书桌前。这一切都是自发的，自觉的。

我订了很多报刊，《光明日报》《文汇报》《新华文摘》等，另外还有好多人家赠送的报刊。我主要看文化版、学术版、人物版。

《光明日报》过去是知识分子办的，现在办得比较杂，总体上我不喜欢，但它也有好的版面，像"光明论坛""学术""理论"。我觉得好的地方就看，因为好的地方值得学习。有人说看报纸是为了休闲，我不是，我从中发现了很多新的思想动态以及前沿学术走向。

杂志方面，除了教育类的《教育研究》《课程·教材·教法》，我还非常看重《新华文摘》，它可谓包罗万象，政治学、社会学、经济学、文艺学、美学、哲学，非常丰富，非常有品位。还有《读书》。当然，我不是每篇都读，是有选择地读。

教师月刊：除了读书看报，你上网吗？

成尚荣：我不上网，网络上人家说什么我都不知道。我心里很安静。我也不会用电脑。那是因为我没有学，学了我肯定会用。

教师月刊：你的写作呢？

成尚荣：我就是手写，写完请别人在电脑上录入。要知道，手写的感觉很好。手写，我的思想全在里面了。

教师月刊：你一天可以写多少个字？文章都是一口气写出来吗？

成尚荣：我写作从来不打草稿，一天最多可以写六千字左右。我有一些想法以后，只要有时间，就把它们整理成文字。还有就是，找我约稿的报刊很多，一般我都不会拒绝，都会认真完成，往往是一气呵成的。

阅读：从已知到未知

教师月刊： 江苏我是经常来的。跟江苏的老师接触，有时候说到你，总会听人家说到一个细节：成尚荣的记忆力不是一般的好。从心理学、从记忆的规律来说，这是非常难得的。

成尚荣： 我觉得是锻炼出来的，是任务驱动的结果。比如我经常做现场主持，这样就要非常认真地去倾听，很投入，很专注。久而久之，记忆力就锻炼出来了。我以为，记忆是一种能力，但可能首先是一种品质——它跟这些东西有关，比如关注、专心、善于倾听，等等。

另外，我还有摘录的习惯。不管是教育学的、政治学的、哲学的，还是伦理学的、美学的，甚至是经济学的，只要是喜欢的话语，我都会摘录下来。不断去看，不断去回味这些摘录下来的东西，记忆力就会越来越好。

教师月刊： 这其实也很考验一个人整合与转化的能力。

成尚荣： 你说得对。在我的脑子里面，有各种信息、各种知识、各种我学到的东西，它们是融合在一起的，而不是相互割裂的。所以我经常讲，阅读可以把读到的东西纳入自己的知识框架里边。当然，你首先要有一个知识框架，一个思想轮廓。人的精神成长，必须有这样一个框架，这样一个轮廓。这可以使精神、心灵保持开放、吸纳的状态。一个拥有阅读习惯的人，一定是具有这样的状态的。

教师月刊： 关于阅读，你有什么好的建议？

成尚荣： 我读书比较随意。当然这里的随意是指触及的面比较宽，而不是专注于一个方面。世界是一个整体，你只关注某一个方面的话，就会比较狭隘、比较片面。这是第一点。

第二点，我会关注和自己的思考关联度比较大的书。比如说，我最近在思考"教育家的美学精神"，那我就会有意识地阅读这方面的著述；同时会把原先读到的这方面的零散的东西整合到一起，进行转换、转化，形成我对

"教育家的美学精神"的理解。

第三点，我有一种阅读的方法，或者说是一种阅读的方式，我把它叫作猜想性阅读。阅读肯定是有多种定义的。我所说的猜想性阅读，就是我在读别人的书、别人的文章的时候，得到了启发，就会进行猜想，把很多东西串起来。这个时候我就好像长了翅膀，能够飞到一个全新的世界去。

教师月刊：我能不能把你的意思重述一下——就是说，你从这本书里面获得了一双翅膀，然后飞到另外一本书去？

成尚荣：飞到另外一个领域，飞到另外一个地方。从学术上来讲，这就是从已知到未知，从此岸到彼岸。如果你永远在已知而没有到达未知，就谈不上发展。

教师需要什么样的核心素养

教师月刊：这些年讲学，你经常谈及教师核心素养的问题，尤其是"三个第一"的说法，影响很大。

成尚荣：前几天我去了通州——南通市的一个区，他们有一个校长培训班，请我讲教师核心素养。我从三个方面讲。

第一个方面，我从教师的定义说起。我这个定义是描述性的定义。我说教师首先是先生，是知识分子；第二，教师应该是道德教师；第三，教师应该是反思型实践家；第四，教师还应该是一个有自己风格的"领唱者"。这其实已经隐含了我对教师核心素养的理解。

第二个方面，我从教师专业发展中的关键因素、关键要素来进行分析。季羡林先生曾经借用王国维《人间词话》里的"三重境界"来谈人的发展的三个关键要素，"昨夜西风凋碧树，独上高楼，望尽天涯路"，就是要立志，要慎独，有追求；"众里寻他千百度，蓦然回首，那人却在，灯火阑珊处"，就是要认真探索，认真去做，任何事情都不要找借口；"衣带渐宽终不悔，为伊消得人憔悴"，就是要为自己的选择负责，为自己的人生负责，为自己的信仰负责，不管成功与否都无怨无悔。除了这三点，季羡林先生还补充了两点：天赋、机会。这样五个因素，在很大程度上决定了一个教师能够走向优秀、走向卓越。当然，一个人的成长是很复杂的一个过程，而不是干巴巴的这样一二三四五就完成了。

第三个方面，我从价值取向来谈，我在一篇文章里也谈过这个问题，就是教师要有第一动力、第一品质、第一专业。也就是你刚才提到的"三个第一"。所谓第一动力，就是人的内部动力；第一品质，讲的是反思的品质；第一专业，就是超越学科专业的那个专业，我认为是儿童研究或学生研究。这里说的"第一"，是一种价值排序，把诸多价值要素排起来，它是前提性的、必须排在第一位的东西。

我就是从这三个方面来谈教师核心素养的，当然不是很严谨。

教师月刊：说起这些"第一"，我想起 20 世纪 90 年代，湖南科学技术出版社出过的一套"第一推动丛书"。这一套科普读物，汇聚了当今世界上最厉害的科学家的研究成果。据我了解，所谓"第一推动"，是借用了亚里士多德的哲学概念，意思是"人类发展和社会进步的原动力"，这个原动力，既来自科学本身对真理的追求，也来自人的主体精神。我刚刚了解到，湖南科学技术出版社已经出版了《第一推动丛书：20 周年合集（典藏版）》，皇皇四十一册。

成尚荣：亚里士多德还有"第一哲学"的说法。他说的"第一哲学"是为其他哲学提供基本概念、基本规律的哲学，也就是其他哲学的前提。这对我是有启发的。后来我又从复旦大学俞吾金教授——他去年刚刚去世——那里得到启发，俞吾金教授讲的是"第一动机"，他认为人生是有动机的，在许多动机当中，最重要的动机他称为"第一动机"，就是追求真理。

我所说的"第一动力"，强调的是内部生长的力量。人的发展有两种动力，一个是外部动力，外部动力的关键就是两个字，"推动"。一个是内部动力，其关键是自主生长。人既要自主生长，也需要外部推动。毫无疑问，前者更重要。外部的推动是通过点燃内部的动力而起作用的。真正对人的发展产生决定性作用的是内部动力。

这个自主生长，也可以叫自我推动。它体现为追求，体现为激情，体现为生活中、工作中的一个个兴奋点。这些兴奋点促使他不断地自我突破、自我更新。所以有些时候，激情是可以成就一个教师的。

教师月刊：虽然我们谈的是教师发展，但其实是在谈人生的理念、价值和意义。

成尚荣：没错！一个教师如果在人生的价值和意义上没有正确的理解和把握，怎么谈专业发展？你对幸福的理解，对青春的理解，对生活的理解，你的生活观、幸福观、价值观，都在影响甚至决定着你的职业选择、你的职业生活质量。

教师月刊：我想，你所说的"第一动力"，肯定包含了某种积极的人生观、生活观。

成尚荣：你听说过李嘉诚的"鸡蛋论"吗？李嘉诚先生说，鸡蛋如果从外部打破，就成为一种食物；如果以自己的力量，自己打破自己，就成为一个新的生命。他的意思非常清楚。如果你只希望外部来打破，就永远是别人口中的食物，你只有自己打破自己，才可能获得一次又一次的新生。他说的也许是企业发展的道理，但人的成长不也是如此吗？

教师月刊：你如此强调"第一动力"，是不是有一个前设，就是说，在很多人身上这个内部动力是有所欠缺的？

成尚荣：当然可以这么说！内部动力没有外部动力强，很容易受外部世界的影响。现在的情况大概就是这样。

这自然有社会环境的原因，比如各种社会负面现象，各种流行的庸俗价值观，这些都会影响人们的选择和信仰，但关键还在于人生意义感的迷失。

做好"心灵的体操"

教师月刊：刚才所谈，不知不觉落到人生态度、生命方式上来，对我也是很好的启发。就专业发展而谈专业发展，确实很容易陷入专业主义的窠臼之中。

成尚荣：是的，对教师"专业"应当反思，要谨防"专业主义"，要跳出所谓"专业"，以人生、生命为基本维度来考量。

中国传统文化里面有两个重要概念，我非常认同：一个是虚静，一个是坐忘。它们体现了一种精神之美，一种生命的大格局，特别符合我自己所追求的人生。它们既是一种生活方式，也是一种美学态度，其核心是崇高，投入，容纳，没有浮躁的虚火。

我觉得，这个时代的教育特别需要这样的美学气度，不能完全沉溺于世俗价值和世俗生活，不能只要"六便士"而拒绝"月亮"。

教师月刊：这些思考跟你退休后的生活和心境有关吗？

成尚荣：我不把退休当作新的人生起点，它不是重新开始。当然在生活方式和内容上跟以前不一样，最大的不一样就是我可以非常专心地做自己喜欢的事情，读书、阅读、研究、写作，这些都是我最喜欢的事情。我在退休的时候说了一句话：我退休了，会落后，但是不要太落后。

我经常想起李吉林老师的话。她说要做一个竞走运动员，要不停地走，同时你的脚跟、你的整个脚掌不能离开大地；然后还要做一个跳高运动员，那个标杆要不断抬升，目标要不断提升。

教师月刊：从整个精神状态和身体情况来看，你似乎健身有道、保养有道。

成尚荣：有些人问我说，成老师你是怎么保养自己的？其实保养这个词和我是无缘的。我睡眠不好，天天晚上睡不着。我不锻炼，不跑步，不跳舞。我也没有什么爱好，唱歌啊打牌啊，任何娱乐活动都没有。过去我在省教育厅工作的时候，一个同事就说，"成尚荣这个人不好玩"。但我有自己的心灵生活。这可能就是我的健康之道，我个人认为我有自己的"好玩"。

教师月刊：能不能说你做的是心灵的体操？

成尚荣："心灵的体操"，这个说法很好。换一个说法，或者具体到教师身上而言，可以说就是保持一颗童心。

我1962年毕业于南通师范学校，然后做了23年的小学教师，这段经历对我的人生发展起到了很重要的作用，对我的儿童观的形成可以说是决定性的。1985年，我40岁的时候，被调到省教育厅，当了基础教育处的副处长。利用在南京工作的便利，我参加了南京师范大学的函授本科学习。当时是第一届，要求非常严格，我学到了很多东西，可以说是人生又一个很重要的转折点，由此进入理论与科研的阶段。后来我到省教科所当所长。这段本科学习的经历，对我做好这个所长的工作，是有很大帮助的。

教师月刊：用你的话来说，关键还是"第一动力"在起作用。

成尚荣：我有自己的世界，一个自足的世界。这个世界是独立的，又是开放的，它与外在的世界是打通的、相互勾连的。要不然它就会变得僵化，人生就太没意思了。

（原载2015年第11期《教师月刊》）

真正的大师

冷玉斌

（江苏省兴化市第二实验小学）

丁酉新春，录下陶诗一首，给成尚荣先生发去，恭祝他"如意在抱，幸福满怀"，时间不长，先生回复到来，他祝我"学问在抱，理想满怀"。欣喜一读，分外温馨，备受鼓舞，还为先生之文思击节。的的确确，先生于我是智慧之师，是博雅之师，是仁爱之师。他，是真正的大师。

成先生受年轻人景仰与拥戴，非一时一日，我很早就从杂志里读到他的文章，更有幸在一些培训班或报告会上，能够亲耳聆听他的专题讲座或即席发言，时间地点已经忘了，但先生敏锐之观察、深邃之思考、飞扬之神采、动人之话语，始终长留在心，让我久久回味。

已经想不起因何机缘，我存下了成先生的手机号，从那以后，某些时候，会给先生发条短信，多是请教，有时也谈一点自己的想法，令我感动的是，先生无论多忙，总会回复，关切又关注。他没一点架子，短信里说得亲切而清楚，对某些问题的把握无比精准，比如"教师发展"，比如"儿童研究"，比如"核心素养"，哪怕只言片语，也能启我心智，开我眼界，让我恍然亦豁然。有一回，读成先生发表在《中国教育报》上的文章，他谈了核心素养的"中国表达"，清晰透彻，充满洞见，不由想到，成先生是否还有落实在教师与孩子身上的核心素养表达，就编了条信息发过去向先生请教，果然，先生很快就回应我，说他还有很多想法：核心素养的国际经验；核心素养的学校落地；基于核心素养的课程改革……我深以为然，对核心素养的思考又深一层，更由衷感叹先生的视野与思维。

与成先生的更多交流，还是在泰州教育局组织的卓越教师培训班上，有幸加入这个班，遇到了多位教育大家，像李政涛先生、杨九俊先生、魏本亚院长等。这当中，我尤为钦佩，也尤为感激的，当然就是成先生。

那一回，成先生给培训班做读书报告，他引用了昆曲《班昭》里的四句唱词，说他非常欣赏这四句唱词："最难耐的是寂寞，最难抛的是荣华。从来学问欺富贵，好文章在孤灯下。"刚一听完，我内心翻腾不息，先生引得太好了，这不正是我试图坚持而又颇感辛苦的个人之境？刹那间，先生仿佛成了我的知音，我远远看着先生，咀嚼着他说下的每一句话，留意他提到的每一个人，记录他推荐的每一本书。"从来学问欺富贵，好文章在孤灯下"，如今，每每想有那么一点懈怠，脑中总会浮现先生教给我的这句唱词，再想到他彼时的慷慨与庄严，于是，我立刻明白自己到底该做些什么，又该怎么做了。

在培训班上，每位学员都需要做一个校本课程开发，经过慎重思考，我确定了以"中国古代童话"为主题来编制课程。在听了我的规划后，先生高度肯定，认为这项实践很有价值，应该专注做透做深，并表示有机会一定到学校来看看我的课程开发与实践。这之后，我多次接到先生的短信、电话，或指导，或鼓励，日常事务缠身的先生，竟然持续不断地关注我这个远在小县城的年轻人，还有我的个人实践与课程研究——殷殷切切，大师风范。

2016年三月份，来回沟通数次，终于有一个空当，让先生能在百忙之中，挤出半天时间，专程赴水乡，指导我的"中国古代童话课程"实践，可是，我知道，这一奔波，不又成了先生百忙之外的又一"忙"。

那天上午，成先生如约而至。真的在自己的学校迎接到成先生，我高兴得都不知该对他说什么了，先生也很高兴，脸上的笑容正如三月的阳光，清澈温暖，他也不歇息，立即问我在哪儿上课，与我一同进了教室。

当天，我给先生展示了教学现场，和孩子们一起，开开心心上了两节中国古代童话课，一节是单篇阅读，我选择了民间童话《香蕉娃娃》，另一节则是主题阅读，以"感恩"为主线串起三则中国古代童话。课堂上，我尝试将自己对"中国古代童话课程"的设想和规划表达出来，尤其落实对故事趣味和传统文化的双重挖掘，在之后的评议环节，先生对这项课程实践多有褒奖，此外更倾囊以授，从文化的角度帮我梳理脉络，给我指明方向，让我找到路径，不仅是我，就连当天在现场的听课老师，也感觉受教良多，受益匪浅。

初春之行，行色匆匆，上午活动结束，先生都没能休息，就又马不停蹄赶往南通，那儿，还有一个教学论坛正在等着他。第二天早晨，还在骑车上班的路上，一条短信来了，我点开一看，居然是先生，迅速停车读短信，想不到这一大早，他还惦记着我的课程建设。先生写了长长一段话，他说：

玉斌，中国的童话，童话里的中国。用中国童话向世界讲述中国智慧，在世界童话图谱里找到中国童话的地位。回家·前行——为儿童铺设一条幸福之路。另外，还可以中华美学精神为点，进行深度研究。

哇，一读完，眼前好似"啪"的一声亮起一盏灯，视野打开了，思路开阔了，一下子找到了中国古代童话课程发展更高远的定位与目标。我立在街边，心中百感交集，多好的先生，是经师，是人师，是大师……真的是这样，成先生对儿童、对教育、对教师，有理解、有领悟、有把握，浅浅一句话，藏着多少实践的真知与灼见。

这，就是成尚荣先生的格局，他有世界的情怀，有赤子的胸襟，有儿童的眼光，更有长者的慈爱，他唤醒我，激励我，也指引我。他，是真正的大师。

致　谢

　　早上五点多就起床了，准备写文丛的致谢。每次写东西前，总喜欢先读点什么东西。今天读的是《光明日报》的"光明学人"，写的是钱谷融先生。

　　钱谷融先生是我国著名文学批判家、文艺理论家、教育家。那篇写他的文章，题目是:《钱谷融:"认识你自己"》。文章写出了钱先生性格的散淡和自持，我特别喜欢。文章写到在 2016 年全国第九次作代会上，谈及当下的某些评论，钱先生笑眯眯地吟出杜甫的《绝句》:"两个黄鹂鸣翠柳，一行白鹭上青天。"看提问者似懂非懂，他便说:"黄鹂鸣翠柳，不知所云;白鹭上青天，离地万里。"提问者恍然大悟，开心大笑。

　　自然，我也笑了。我笑什么呢? 笑钱先生的幽默、智慧、随手拈来，却早就沉思于心。我还联想到自己，所谓的文丛要出版了，要和大家见面了，是不是也像钱先生所批评的那样，看似好美却不知所云，看似高远却离地万里呢? 我心里十分清楚:有，肯定有。继而又想，没关系，让大家评判和批评吧，也让自己有点反思和改进吧，鸣翠柳、上青天还算是一种追求吧。

　　回想起来，我确实有点追求"黄鹂鸣翠柳、白鹭上青天"的意思，喜欢随意、自在，没有严格的计划，也不喜欢过于严谨。我坚定地以为，这并没有什么不好，文字应当是从自己心里自然流淌出来的，有点随意，说不定会有点诗意，也说不定会逐步形成一种风格。我也清楚，我写的那些东西，没有离地万里、不知所云，还是来自实践、来自现场、来自思考的。不过，我又深悟，大家大师的"随意"，其实有深厚的积淀，有缜密的思考，看似随意，却一点都不随便，用"厚积薄发"来描述是恰当不过的。而我不是大家，不是大师。所以应当不断地去修炼，不断地去积淀，不断地去淬化，对自己有更严格的要求。

我也有点散淡。总希望写点单篇的文章，尽管也有写成一定体系的论著的想法，但总是被写单篇文章的冲动而冲淡；而且单篇文章发表以后，再也不想再看一遍，就让它安静地躺在那儿，然后我会涌起写另一单篇的欲望。所以，要整理成书的愿望一点都不强烈，在家人和朋友的催促下，我不好意思"硬回绝"，只是说："是的，我一定要出书。"其实是勉强的、敷衍的。说到底，还是自己的散淡所致——看来，我这个人成不了什么大事。

好在有朋友们真诚的提醒、催促、帮助。非常感谢李吉林老师。曾和李老师同事了23年，她是我学习的楷模，我的思考和研究，在很大程度上是在她的影响和提醒下进行的。清楚地记得，我从省教育厅到省教科所工作，李老师鼓励我。她又不断地督促我，要写文章，要表达自己的思想。非常感谢孙孔懿先生。孙孔懿是学问家，他著作丰厚，是我学习的榜样。他总是温和地问起我出书的事，轻轻的，悄悄的，我在感动之余，有一点不好意思。非常感谢叶水涛先生，水涛才华横溢，读书万卷，常与我交谈，其实是听他"谈书"、谈见解，又常以表扬的方式"诱发"我写书。非常感谢沈志冲先生。沈志冲是高我一届的同学，他的真诚和催促，成了我写作、整理文丛的动力。非常感谢周益民老师。周益民是我的忘年交，是知己。他一次又一次地提议并督促。他还说：我和我们学校的老师可以帮助你整理材料。不出书，真是对不住他。非常感谢校长和老师们，他们对我的肯定、赞扬和期盼，都是对我的鼓励。在徐州的一次读书会的沙龙上，贾汪区一所学校的杜明辉老师大声对我说：成老师，我们希望看到您的书，否则是极大的浪费。杜老师的话让我感慨万千，他的表情一直在我脑海里浮现，他的话语一直在我耳边回响。非常感谢华东师范大学出版社大夏书系的李永梅社长、林茶居先生、杨坤主任及各位朋友、编辑，真心实意地与我讨论，有一次他们还赶到苏州，在苏州会议结束后，又与我恳切交谈，让他们等了好长时间。他们的真诚，我一直铭记在心。当然，我也非常感谢我儿子成则，他常常用不同的方法来"刺激"我，督促我，他认为这应是我给他留下的最宝贵的财富。

在整理文稿的过程中，翟毅斌默默地、十分认真负责地为我做了大量的工作：文字输入、提供参考文献、收发电子文稿、与有关老师联系，事情繁多，工作很杂。他说，我既是他的老师又是朋友，他既是我的学生又是秘书，而且是亲人。我谢谢他——毅斌。

在与窦桂梅老师谈及文丛的时候，在鼓励之后，她又有一个建议：在书后附一些校长和老师的故事。这是一个极好的创意，我非常赞赏。窦校长亲自写了一万多字的文章，有一天她竟然写到深夜，王玲湘、胡兰也写了初稿。我很感谢她们，感谢清华附小。接着我和有关学校联系、沟通，他们都给予真诚的支持和帮助：孙双金、薛法根、祝禧、王笑梅、李伟平、周卫东、曹海永、冷玉斌、陆红兵等名师、好友给我极大的支持和真挚的帮助；南京市琅琊路小学、力学小学、拉萨路小学、南京师大附小等都写来带着温度的文字；名校长、特级教师沈茂德也写了《高度的力量》——其实，他才拥有高度的力量。

出书的想法时隐时现，一直拖着。去年春节期间，我生发了一个想法：请几位朋友分别给我整理书稿，大夏书系李永梅社长说，请他们担任特约编辑。于是，我请了江苏教育出版社的周红，南京市琅琊路小学的冯毅、周益民，江苏教育报刊社的蒋保华，南京市教研室的杨健，南师大附小的贡友林，还有翟毅斌，具体负责丛书各分册的编辑整理工作。他们花了大量的时间和精力，在九月底前认真地编成。这是一项创造性的工作，他们给我以具体的帮助，谢谢他们。

书稿交出去以后，我稍稍叹了一口气。是高兴呢，还是释然呢？是想画上句号呢，还是想画上省略号呢？……不知道。我仍然处在随意、散淡的状态。这种状态不全是不好，也不全是好，是好，还是不好，也说不上。"两个黄鹂鸣翠柳，一行白鹭上青天"，是我所向往的状态和心绪，也是我所自然追求的情境与境界。但愿，这一丛书不是"不知所云"，也不是"离地万里"，而是为自己，为教育，为课程，为大家鸣唱一首曲子，曲子的名字就叫《致谢》。

2017 年 2 月 15 日